진정주

경기도 안산에 위치한 진정주 약국과 인터넷 쇼핑몰 "진약사몰"을 경영하는 현직 약사이자, 남편 박찬선 목사와 함께 순복음안디옥교회를 개척하여 한결같이 섬기고 있는 사모다. 30년 이상 하나님 앞에서 떼쓰고, 실수하고, 책망 받으며 배운 생생한 기도를 소재로 유튜브 〈진약사의 기도학교〉를 운영하고 있다. 저자는 교회 사역과 일을 병행하기에 우리의 현실과 밀착된 기도를 이야기한다.

중앙대학교 약학대학을 졸업하고, 국민 건강과 사회에 공헌한 공로를 인정받아 중앙대학교 명예박사 학위를 받기도 하였다. 유튜브 채널로 〈진약사톡〉(구독자 38.5만 명)과 〈진약사의 기도학교〉(구독자 9.5만 명)가 있으며 저서로 《진약사의 기도학교》와 《내 몸이 웃는다》가 있다.

진약사의 기도학교

design 권기용

기적을 부르는 암송 1200 | 1권

기적을 부르는 암송 1200 | 길

지은이 | 진정주
초판 발행 | 2025. 10. 27.
8쇄 발행 | 2026. 1. 12.
등록번호 | 제1988-000080호
등록된 곳 | 서울특별시 용산구 서빙고로65길 38
발행처 | 사단법인 두란노서원
영업부 | 2078-3333 FAX | 080-749-3705
출판부 | 2078-3331

ISBN 978-89-531-5177-2 04230
978-89-531-5180-2 04230 (세트)

독자의 의견을 기다립니다.
tpress@duranno.com http://www.duranno.com

두란노서원은 바울 사도가 3차 전도여행 때 에베소에서 성령 받은 제자들을 따로 세워 하나님의 말씀으로 양육하던 장소입니다. 사도행전 19장 8-20절의 정신에 따라 첫째 목회자를 돕는 사역과 평신도를 훈련시키는 사역, 둘째 세계선교(TIM)와 문서선교(단행본·잡지) 사역, 셋째 예수문화 및 경배와 찬양 사역, 그리고 가정·상담 사역 등을 감당하고 있습니다. 1980년 12월 22일에 창립된 두란노서원은 주님 오실 때까지 이 사역들을 계속할 것입니다.

1권

기암송 1200

길

진정주

두란노

★ CONTENTS

요한계시록

프롤로그

이 책《기암송 1200》은 유튜브 <진약사의 기도학교> 교재로 발간되었습니다.

기도는 하나님의 위대한 발명품입니다. 위대하신 하나님께서 인생의 길을 잃은 우리를 불쌍히 여기사 당신의 보좌 앞으로 나아가도록 이끄신 것이 곧 기도입니다. 그리고 이 기도는 말씀을 통해 온전해질 수 있습니다.

기도학교 강의를 이어가면서 저는 늘 말씀에 대한 갈급함을 느꼈습니다. 기도를 계속 하다보면 힘이 빠지고 표류하는 순간들이 찾아오게 마련입니다. 그럴 때 말씀은 우리를 새롭게 하며, 더 깊은 차원의 기도로 이끌어 줍니다. 살아 계신 성령께서 말씀을 통해 도우시기 때문입니다. 때로는 말씀을 소리 내어 읽는 것만으로도 기도가 되는 비밀이 있기에 말씀은 기도의 연료이자 지표입니다.

이 책은 기존의 암송 교재들과는 다른 독특한 특징이 있습니다. 먼저 마태복음부터 신약성경을 순서대로, 그리고 창세기부터 말라기까지 구약성경도 순서대로 엮었습니다. 또 의미상 하나로 묶어야 할 구절들은 한 순번에 함께 배치했습니다. 그러므로 성경을 공부하거나 통독할 때도 매우 유용한 교재로 활용할 수 있습니다.

예를 들어, 로마서를 읽고자 할 때 이 책의 요절을 먼저 여러 번 읽고 익힌 다음, 로마서 본문을 정독해 보십시오. 이전에는 알지 못했던 구절구절의 깊은 의미가 살아나고, 레마의 말씀으로 마음에 새겨질 것입니다.

또 이 책은 수십 년간 실제 기도생활 속에서 터득한 저의 기도 실전을 바탕으로 구성했습니다. 어떤 학술적인 강의보다 현실과 간증이 녹아 있는 책이니 여러분의 삶에도 기적이 일어나리라 믿습니다.

말씀 암송은 기도자의 생활입니다. 이 책을 세 권으로 나눈 것도 휴대의 편의를 고려한 것입니다. 모쪼록 이 교재가 여러분의 영성 훈련에 큰 도움이 되기를 바랍니다.

2025. 10. **진정주**

마태복음—요한복음

DAY . . 암송체크

마태복음

1 **마태복음 1:1** □□□□□

아브라함과 다윗의 자손 예수 그리스도의 계보라

2 **마태복음 1:21** □□□□□

아들을 낳으리니 이름을 예수라 하라 이는 그가 자기 백성을 그들의 죄에서 구원할 자이심이라 하니라

3 **마태복음 4:4** □□□□□

예수께서 대답하여 이르시되 기록되었으되 사람이 떡으로만 살 것이 아니요 하나님의 입으로부터 나오는 모든 말씀으로 살 것이라 하였느니라 하시니

레마의 말씀

4 **마태복음** 5:3 □□□□□

심령이 가난한 자는 복이 있나니 천국이 그들의 것임이요

5 **마태복음** 5:4 □□□□□

애통하는 자는 복이 있나니 그들이 위로를 받을 것임이요

6 **마태복음** 5:5 □□□□□

온유한 자는 복이 있나니 그들이 땅을 기업으로 받을 것임이요

7 **마태복음** 5:6 □□□□□

의에 주리고 목마른 자는 복이 있나니 그들이 배부를 것임이요

레마의 말씀

DAY | . . 암송체크

8 **마태복음 5:7** □□□□□

긍휼히 여기는 자는 복이 있나니 그들이 긍휼히 여김을 받을 것임이요

9 **마태복음 5:8** □□□□□

마음이 청결한 자는 복이 있나니 그들이 하나님을 볼 것임이요

10 **마태복음 5:9** □□□□□

화평하게 하는 자는 복이 있나니 그들이 하나님의 아들이라 일컬음을 받을 것임이요

11 **마태복음 5:10** □□□□□

의를 위하여 박해를 받은 자는 복이 있나니 천국이 그들의 것임이라

레마의 말씀

DAY | . . 암송체크

12 **마태복음 5:13** □□□□□

너희는 세상의 소금이니 소금이 만일 그 맛을 잃으면 무엇으로 짜게 하리요 후에는 아무 쓸 데 없어 다만 밖에 버려져 사람에게 밟힐 뿐이니라

13 **마태복음 5:14** □□□□□

너희는 세상의 빛이라 산 위에 있는 동네가 숨겨지지 못할 것이요

14 **마태복음 5:15** □□□□□

사람이 등불을 켜서 말 아래에 두지 아니하고 등경 위에 두나니 이러므로 집 안 모든 사람에게 비치느니라

레마의 말씀

DAY　.　.　암송체크

15 마태복음 5:16 □□□□□

이같이 너희 빛이 사람 앞에 비치게 하여 그들로 너희 착한 행실을 보고 하늘에 계신 너희 아버지께 영광을 돌리게 하라

16 마태복음 5:17 □□□□□

내가 율법이나 선지자를 폐하러 온 줄로 생각하지 말라 폐하러 온 것이 아니요 완전하게 하려 함이라

17 마태복음 5:20 □□□□□

내가 너희에게 이르노니 너희 의가 서기관과 바리새인보다 더 낫지 못하면 결코 천국에 들어가지 못하리라

레마의 말씀

DAY . . 암송체크

18 **마태복음** 5:46 □□□□□

너희가 너희를 사랑하는 자를 사랑하면 무슨 상이 있으리요 세리도 이같이 아니하느냐

19 **마태복음** 5:48 □□□□□

그러므로 하늘에 계신 너희 아버지의 온전하심과 같이 너희도 온전하라

20 **마태복음** 6:33 □□□□□

그런즉 너희는 먼저 그의 나라와 그의 의를 구하라 그리하면 이 모든 것을 너희에게 더하시리라

레마의 말씀

DAY . . 암송체크

21 **마태복음 7:7** □□□□□

구하라 그리하면 너희에게 주실 것이요 찾으라 그리하면 찾아낼 것이요 문을 두드리라 그리하면 너희에게 열릴 것이니

22 **마태복음 7:8** □□□□□

구하는 이마다 받을 것이요 찾는 이는 찾아낼 것이요 두드리는 이에게는 열릴 것이니라

23 **마태복음 7:11** □□□□□

너희가 악한 자라도 좋은 것으로 자식에게 줄 줄 알거든 하물며 하늘에 계신 너희 아버지께서 구하는 자에게 좋은 것으로 주시지 않겠느냐

레마의 말씀

24 **마태복음 7:12** □□□□□

그러므로 무엇이든지 남에게 대접을 받고자 하는 대로 너희도 남을 대접하라 이것이 율법이요 선지자니라

25 **마태복음 7:21** □□□□□

나더러 주여 주여 하는 자마다 다 천국에 들어갈 것이 아니요 다만 하늘에 계신 내 아버지의 뜻대로 행하는 자라야 들어가리라

26 **마태복음 7:23** □□□□□

그때에 내가 그들에게 밝히 말하되 내가 너희를 도무지 알지 못하니 불법을 행하는 자들아 내게서 떠나가라 하리라

레마의 말씀

DAY | . . 암송체크

27 **마태복음 9:13** □□□□□

너희는 가서 내가 긍휼을 원하고 제사를 원하지 아니하노라 하신 뜻이 무엇인지 배우라 나는 의인을 부르러 온 것이 아니요 죄인을 부르러 왔노라 하시니라

28 **마태복음 10:16** □□□□□

보라 내가 너희를 보냄이 양을 이리 가운데로 보냄과 같도다 그러므로 너희는 뱀같이 지혜롭고 비둘기같이 순결하라

29 **마태복음 10:29** □□□□□

참새 두 마리가 한 앗사리온에 팔리지 않느냐 그러나 너희 아버지께서 허락하지 아니하시면 그 하나도 땅에 떨어지지 아니하리라

레마의 말씀

30 마태복음 10:32 □□□□□

누구든지 사람 앞에서 나를 시인하면 나도 하늘에 계신 내 아버지 앞에서 그를 시인할 것이요

31 마태복음 10:33 □□□□□

누구든지 사람 앞에서 나를 부인하면 나도 하늘에 계신 내 아버지 앞에서 그를 부인하리라

32 마태복음 10:42 □□□□□

또 누구든지 제자의 이름으로 이 작은 자 중 하나에게 냉수 한 그릇이라도 주는 자는 내가 진실로 너희에게 이르노니 그 사람이 결단코 상을 잃지 아니하리라 하시니라

레마의 말씀

DAY | . . 암송체크

33 **마태복음 11:25** □□□□□

그때에 예수께서 대답하여 이르시되 천지의 주재이신 아버지여 이것을 지혜롭고 슬기 있는 자들에게는 숨기시고 어린아이들에게는 나타내심을 감사하나이다

34 **마태복음 11:27** □□□□□

내 아버지께서 모든 것을 내게 주셨으니 아버지 외에는 아들을 아는 자가 없고 아들과 또 아들의 소원대로 계시를 받는 자 외에는 아버지를 아는 자가 없느니라

35 **마태복음 11:28** □□□□□

수고하고 무거운 짐 진 자들아 다 내게로 오라 내가 너희를 쉬게 하리라

레마의 말씀

DAY | . . 암송체크

36 **마태복음 11:29-30** □□□□□

나는 마음이 온유하고 겸손하니 나의 멍에를 메고 내게 배우라 그리하면 너희 마음이 쉼을 얻으리니
이는 내 멍에는 쉽고 내 짐은 가벼움이라 하시니라

37 **마태복음 12:34** □□□□□

독사의 자식들아 너희는 악하니 어떻게 선한 말을 할 수 있느냐 이는 마음에 가득한 것을 입으로 말함이라

레마의 말씀

38 마태복음 12:39 □□□□□

예수께서 대답하여 이르시되 악하고 음란한 세대가 표적을 구하나 선지자 요나의 표적 밖에는 보일 표적이 없느니라

39 마태복음 12:40 □□□□□

요나가 밤낮 사흘 동안 큰 물고기 뱃속에 있었던 것같이 인자도 밤낮 사흘 동안 땅속에 있으리라

40 마태복음 12:50 □□□□□

누구든지 하늘에 계신 내 아버지의 뜻대로 하는 자가 내 형제요 자매요 어머니이니라 하시더라

레마의 말씀

DAY | . . 암송체크

41 마태복음 13:33 □□□□□

또 비유로 말씀하시되 천국은 마치 여자가 가루 서 말 속에 갖다 넣어 전부 부풀게 한 누룩과 같으니라

42 마태복음 13:44 □□□□□

천국은 마치 밭에 감추인 보화와 같으니 사람이 이를 발견한 후 숨겨 두고 기뻐하며 돌아가서 자기의 소유를 다 팔아 그 밭을 사느니라

43 마태복음 16:24 □□□□□

이에 예수께서 제자들에게 이르시되 누구든지 나를 따라오려거든 자기를 부인하고 자기 십자가를 지고 나를 따를 것이니라

레마의 말씀

암송체크

44 **마태복음 17:20** □□□□□

이르시되 너희 믿음이 작은 까닭이니라 진실로 너희에게 이르노니 만일 너희에게 믿음이 겨자씨 한 알 만큼만 있어도 이 산을 명하여 여기서 저기로 옮겨지라 하면 옮겨질 것이요 또 너희가 못할 것이 없으리라

45 **마태복음 19:30** □□□□□

그러나 먼저 된 자로서 나중 되고 나중 된 자로서 먼저 될 자가 많으니라

레마의 말씀

46 **마태복음 20:26b-27** □□□□□

너희 중에 누구든지 크고자 하는 자는 너희를 섬기는 자가 되고
너희 중에 누구든지 으뜸이 되고자 하는 자는 너희의 종이 되어야 하리라

47 **마태복음 20:28** □□□□□

인자가 온 것은 섬김을 받으려 함이 아니라 도리어 섬기려 하고 자기 목숨을 많은 사람의 대속물로 주려 함이니라

48 **마태복음 23:12** □□□□□

누구든지 자기를 높이는 자는 낮아지고 누구든지 자기를 낮추는 자는 높아지리라

레마의 말씀

DAY | . . 암송체크

49 **마태복음 25:29** □□□□□

무릇 있는 자는 받아 풍족하게 되고 없는 자는 그 있는 것까지 빼앗기리라

50 **마태복음 28:19** □□□□□

그러므로 너희는 가서 모든 민족을 제자로 삼아 아버지와 아들과 성령의 이름으로 세례를 베풀고

51 **마태복음 28:20** □□□□□

내가 너희에게 분부한 모든 것을 가르쳐 지키게 하라 볼지어다 내가 세상 끝날까지 너희와 항상 함께 있으리라 하시니라

레마의 말씀

마가복음

52 마가복음 1:1 □□□□□

하나님의 아들 예수 그리스도의 복음의 시작이라

53 마가복음 9:29 □□□□□

이르시되 기도 외에 다른 것으로는 이런 종류가 나갈 수 없느니라 하시니라

54 마가복음 9:50 □□□□□

소금은 좋은 것이로되 만일 소금이 그 맛을 잃으면 무엇으로 이를 짜게 하리요 너희 속에 소금을 두고 서로 화목하라 하시니라

레마의 말씀

DAY . . 암송체크

55 마가복음 11:24 □□□□□

그러므로 내가 너희에게 말하노니 무엇이
든지 기도하고 구하는 것은 받은 줄로 믿으
라 그리하면 너희에게 그대로 되리라

56 마가복음 16:15b, 17-18 □□□□□

너희는 온 천하에 다니며 만민에게 복음을
전파하라
믿는 자들에게는 이런 표적이 따르리니 곧
그들이 내 이름으로 귀신을 쫓아내며 새 방
언을 말하며
뱀을 집어올리며 무슨 독을 마실지라도 해
를 받지 아니하며 병든 사람에게 손을 얹은
즉 나으리라 하시더라

레마의 말씀

누가복음

57 **누가복음 1:1-4** □□□□□

우리 중에 이루어진 사실에 대하여
처음부터 목격자와 말씀의 일꾼 된 자들이
전하여 준 그대로 내력을 저술하려고 붓을
든 사람이 많은지라
그 모든 일을 근원부터 자세히 미루어 살핀
나도 데오빌로 각하에게 차례대로 써 보내
는 것이 좋은 줄 알았노니
이는 각하가 알고 있는 바를 더 확실하게 하
려 함이로라

레마의 말씀

DAY | . . 암송체크

58 누가복음 2:11 □□□□□

오늘 다윗의 동네에 너희를 위하여 구주가 나셨으니 곧 그리스도 주시니라

59 누가복음 8:12 □□□□□

길가에 있다는 것은 말씀을 들은 자니 이에 마귀가 가서 그들이 믿어 구원을 얻지 못하게 하려고 말씀을 그 마음에서 빼앗는 것이요

60 누가복음 8:13 □□□□□

바위 위에 있다는 것은 말씀을 들을 때에 기쁨으로 받으나 뿌리가 없어 잠깐 믿다가 시련을 당할 때에 배반하는 자요

레마의 말씀

61 누가복음 8:14 □□□□□

가시떨기에 떨어졌다는 것은 말씀을 들은 자이나 지내는 중 이생의 염려와 재물과 향락에 기운이 막혀 온전히 결실하지 못하는 자요

62 누가복음 8:15 □□□□□

좋은 땅에 있다는 것은 착하고 좋은 마음으로 말씀을 듣고 지키어 인내로 결실하는 자니라

레마의 말씀

63 **누가복음 10:41-42** □□□□□

주께서 대답하여 이르시되 마르다야 마르다야 네가 많은 일로 염려하고 근심하나 몇 가지만 하든지 혹은 한 가지만이라도 족하니라 마리아는 이 좋은 편을 택하였으니 빼앗기지 아니하리라 하시니라

64 **누가복음 14:33** □□□□□

이와 같이 너희 중의 누구든지 자기의 모든 소유를 버리지 아니하면 능히 내 제자가 되지 못하리라

레마의 말씀

65 **누가복음** 18:29-30 □□□□□

이르시되 내가 진실로 너희에게 이르노니 하나님의 나라를 위하여 집이나 아내나 형제나 부모나 자녀를 버린 자는
현세에 여러 배를 받고 내세에 영생을 받지 못할 자가 없느니라 하시니라

66 **누가복음** 20:38 □□□□□

하나님은 죽은 자의 하나님이 아니요 살아 있는 자의 하나님이시라 하나님에게는 모든 사람이 살았느니라 하시니

레마의 말씀

67 **누가복음 22:31-32** □□□□□

시몬아, 시몬아, 보라 사탄이 너희를 밀 까부르듯 하려고 요구하였으나
그러나 내가 너를 위하여 네 믿음이 떨어지지 않기를 기도하였노니 너는 돌이킨 후에 네 형제를 굳게 하라

68 **누가복음 23:42p** □□□□□

예수여 당신의 나라에 임하실 때에 나를 기억하소서

레마의 말씀

DAY | . . 암송체크

요한복음

69 요한복음 1:1 □□□□□

태초에 말씀이 계시니라 이 말씀이 하나님과 함께 계셨으니 이 말씀은 곧 하나님이시니라

70 요한복음 1:2-3 □□□□□

그가 태초에 하나님과 함께 계셨고
만물이 그로 말미암아 지은 바 되었으니 지은 것이 하나도 그가 없이는 된 것이 없느니라

71 요한복음 1:4 □□□□□

그 안에 생명이 있었으니 이 생명은 사람들의 빛이라

레마의 말씀

DAY | . . 암송체크

72 요한복음 1:5 □□□□□

빛이 어둠에 비치되 어둠이 깨닫지 못하더라

73 요한복음 1:9 □□□□□

참 빛 곧 세상에 와서 각 사람에게 비추는 빛이 있었나니

레마의 말씀

74 요한복음 1:10-13 □□□□□

그가 세상에 계셨으며 세상은 그로 말미암
아 지은 바 되었으되 세상이 그를 알지 못하
였고
자기 땅에 오매 자기 백성이 영접하지 아니
하였으나
영접하는 자 곧 그 이름을 믿는 자들에게는
하나님의 자녀가 되는 권세를 주셨으니
이는 혈통으로나 육정으로나 사람의 뜻으
로 나지 아니하고 오직 하나님께로부터 난
자들이니라

레마의 말씀

DAY . . 암송체크

75 **요한복음 1:14** □□□□□

말씀이 육신이 되어 우리 가운데 거하시매 우리가 그의 영광을 보니 아버지의 독생자의 영광이요 은혜와 진리가 충만하더라

76 **요한복음 1:16** □□□□□

우리가 다 그의 충만한 데서 받으니 은혜 위에 은혜러라

77 **요한복음 1:17** □□□□□

율법은 모세로 말미암아 주어진 것이요 은혜와 진리는 예수 그리스도로 말미암아 온 것이라

레마의 말씀

DAY | . . 암송체크

78 **요한복음 1:18** □ □ □ □ □

본래 하나님을 본 사람이 없으되 아버지 품 속에 있는 독생하신 하나님이 나타내셨느니라

79 **요한복음 3:14-15** □ □ □ □ □

모세가 광야에서 뱀을 든 것같이 인자도 들려야 하리니

이는 그를 믿는 자마다 영생을 얻게 하려 하심이니라

80 **요한복음 3:16** □ □ □ □ □

하나님이 세상을 이처럼 사랑하사 독생자를 주셨으니 이는 그를 믿는 자마다 멸망하지 않고 영생을 얻게 하려 하심이라

레마의 말씀

DAY | . . 암송체크

81 **요한복음 3:17** ☐☐☐☐☐

하나님이 그 아들을 세상에 보내신 것은 세상을 심판하려 하심이 아니요 그로 말미암아 세상이 구원을 받게 하려 하심이라

82 **요한복음 3:18** ☐☐☐☐☐

그를 믿는 자는 심판을 받지 아니하는 것이요 믿지 아니하는 자는 하나님의 독생자의 이름을 믿지 아니하므로 벌써 심판을 받은 것이니라

83 **요한복음 3:19** ☐☐☐☐☐

그 정죄는 이것이니 곧 빛이 세상에 왔으되 사람들이 자기 행위가 악하므로 빛보다 어둠을 더 사랑한 것이니라

레마의 말씀

DAY . . 암송체크

84 요한복음 4:13-14 □□□□□

예수께서 대답하여 이르시되 이 물을 마시는 자마다 다시 목마르려니와
내가 주는 물을 마시는 자는 영원히 목마르지 아니하리니 내가 주는 물은 그 속에서 영생하도록 솟아나는 샘물이 되리라

85 요한복음 4:23 □□□□□

아버지께 참되게 예배하는 자들은 영과 진리로 예배할 때가 오나니 곧 이때라 아버지께서는 자기에게 이렇게 예배하는 자들을 찾으시느니라

레마의 말씀

86 **요한복음 4:24** □□□□□

하나님은 영이시니 예배하는 자가 영과 진리로 예배할지니라

87 **요한복음 4:34** □□□□□

예수께서 이르시되 나의 양식은 나를 보내신 이의 뜻을 행하며 그의 일을 온전히 이루는 이것이니라

88 **요한복음 5:24** □□□□□

내가 진실로 진실로 너희에게 이르노니 내 말을 듣고 또 나 보내신 이를 믿는 자는 영생을 얻었고 심판에 이르지 아니하나니 사망에서 생명으로 옮겼느니라

레마의 말씀

89 **요한복음 5:25** □ □ □ □ □

진실로 진실로 너희에게 이르노니 죽은 자들이 하나님의 아들의 음성을 들을 때가 오나니 곧 이때라 듣는 자는 살아나리라

90 **요한복음 5:39** □ □ □ □ □

너희가 성경에서 영생을 얻는 줄 생각하고 성경을 연구하거니와 이 성경이 곧 내게 대하여 증언하는 것이니라

91 **요한복음 6:29** □ □ □ □ □

예수께서 대답하여 이르시되 하나님께서 보내신 이를 믿는 것이 하나님의 일이니라 하시니

레마의 말씀

DAY | . . 암송체크

92 **요한복음 6:35** □□□□□

예수께서 이르시되 나는 생명의 떡이니 내게 오는 자는 결코 주리지 아니할 터이요 나를 믿는 자는 영원히 목마르지 아니하리라

93 **요한복음 6:53** □□□□□

예수께서 이르시되 내가 진실로 진실로 너희에게 이르노니 인자의 살을 먹지 아니하고 인자의 피를 마시지 아니하면 너희 속에 생명이 없느니라

94 **요한복음 6:54-55** □□□□□

내 살을 먹고 내 피를 마시는 자는 영생을 가졌고 마지막 날에 내가 그를 다시 살리리니 내 살은 참된 양식이요 내 피는 참된 음료로다

레마의 말씀

95 **요한복음 7:37-38** □□□□□

명절 끝날 곧 큰 날에 예수께서 서서 외쳐 이르시되 누구든지 목마르거든 내게로 와서 마시라

나를 믿는 자는 성경에 이름과 같이 그 배에서 생수의 강이 흘러나오리라 하시니

96 **요한복음 8:12** □□□□□

예수께서 또 말씀하여 이르시되 나는 세상의 빛이니 나를 따르는 자는 어둠에 다니지 아니하고 생명의 빛을 얻으리라

레마의 말씀

97 **요한복음 8:29** □□□□□

나를 보내신 이가 나와 함께 하시도다 나는 항상 그가 기뻐하시는 일을 행하므로 나를 혼자 두지 아니하셨느니라

98 **요한복음 8:31-32** □□□□□

그러므로 예수께서 자기를 믿은 유대인들에게 이르시되 너희가 내 말에 거하면 참으로 내 제자가 되고

진리를 알지니 진리가 너희를 자유롭게 하리라

레마의 말씀

99　요한복음 9:3 □□□□□

예수께서 대답하시되 이 사람이나 그 부모의 죄로 인한 것이 아니라 그에게서 하나님이 하시는 일을 나타내고자 하심이라

100　요한복음 10:7 □□□□□

그러므로 예수께서 다시 이르시되 내가 진실로 진실로 너희에게 말하노니 나는 양의 문이라

101　요한복음 10:9 □□□□□

내가 문이니 누구든지 나로 말미암아 들어가면 구원을 받고 또는 들어가며 나오며 꼴을 얻으리라

레마의 말씀

102 **요한복음 10:10** □□□□□

도둑이 오는 것은 도둑질하고 죽이고 멸망시키려는 것뿐이요 내가 온 것은 양으로 생명을 얻게 하고 더 풍성히 얻게 하려는 것이라

103 **요한복음 10:14-15** □□□□□

나는 선한 목자라 나는 내 양을 알고 양도 나를 아는 것이

아버지께서 나를 아시고 내가 아버지를 아는 것 같으니 나는 양을 위하여 목숨을 버리노라

레마의 말씀

104 요한복음 10:28 □□□□□

내가 그들에게 영생을 주노니 영원히 멸망하지 아니할 것이요 또 그들을 내 손에서 빼앗을 자가 없느니라

105 요한복음 11:25-26 □□□□□

예수께서 이르시되 나는 부활이요 생명이니 나를 믿는 자는 죽어도 살겠고

무릇 살아서 나를 믿는 자는 영원히 죽지 아니하리니 이것을 네가 믿느냐

106 요한복음 12:24 □□□□□

내가 진실로 진실로 너희에게 이르노니 한 알의 밀이 땅에 떨어져 죽지 아니하면 한 알 그대로 있고 죽으면 많은 열매를 맺느니라

레마의 말씀

DAY | . . 암송체크

107 **요한복음 12:25** □□□□□

자기의 생명을 사랑하는 자는 잃어버릴 것이요 이 세상에서 자기의 생명을 미워하는 자는 영생하도록 보전하리라

108 **요한복음 12:46** □□□□□

나는 빛으로 세상에 왔나니 무릇 나를 믿는 자로 어둠에 거하지 않게 하려 함이로라

109 **요한복음 13:1** □□□□□

유월절 전에 예수께서 자기가 세상을 떠나 아버지께로 돌아가실 때가 이른 줄 아시고 세상에 있는 자기 사람들을 사랑하시되 끝까지 사랑하시니라

레마의 말씀

DAY . . 암송체크

110 요한복음 13:10 □□□□□

예수께서 이르시되 이미 목욕한 자는 발밖에 씻을 필요가 없느니라 온 몸이 깨끗하니라 너희가 깨끗하나 다는 아니니라 하시니

111 요한복음 13:14 □□□□□

내가 주와 또는 선생이 되어 너희 발을 씻었으니 너희도 서로 발을 씻어 주는 것이 옳으니라

112 요한복음 13:34 □□□□□

새 계명을 너희에게 주노니 서로 사랑하라 내가 너희를 사랑한 것같이 너희도 서로 사랑하라

레마의 말씀

DAY | . . 암송체크

113 요한복음 13:35 □□□□□

너희가 서로 사랑하면 이로써 모든 사람이
너희가 내 제자인 줄 알리라

114 요한복음 14:1 □□□□□

너희는 마음에 근심하지 말라 하나님을 믿
으니 또 나를 믿으라

115 요한복음 14:2-3 □□□□□

내 아버지 집에 거할 곳이 많도다 그렇지 않
으면 너희에게 일렀으리라 내가 너희를 위
하여 거처를 예비하러 가노니
가서 너희를 위하여 거처를 예비하면 내가
다시 와서 너희를 내게로 영접하여 나 있는
곳에 너희도 있게 하리라

레마의 말씀

116 요한복음 14:6 □□□□□

예수께서 이르시되 내가 곧 길이요 진리요 생명이니 나로 말미암지 않고는 아버지께로 올 자가 없느니라

117 요한복음 14:12 □□□□□

내가 진실로 진실로 너희에게 이르노니 나를 믿는 자는 내가 하는 일을 그도 할 것이요 또한 그보다 큰일도 하리니 이는 내가 아버지께로 감이라

118 요한복음 14:13 □□□□□

너희가 내 이름으로 무엇을 구하든지 내가 행하리니 이는 아버지로 하여금 아들로 말미암아 영광을 받으시게 하려 함이라

레마의 말씀

DAY . . 암송체크

119 **요한복음 14:18** □□□□□

내가 너희를 고아와 같이 버려두지 아니하고 너희에게로 오리라

120 **요한복음 14:21** □□□□□

나의 계명을 지키는 자라야 나를 사랑하는 자니 나를 사랑하는 자는 내 아버지께 사랑을 받을 것이요 나도 그를 사랑하여 그에게 나를 나타내리라

121 **요한복음 14:23** □□□□□

예수께서 대답하여 이르시되 사람이 나를 사랑하면 내 말을 지키리니 내 아버지께서 그를 사랑하실 것이요 우리가 그에게 가서 거처를 그와 함께 하리라

레마의 말씀

122 요한복음 14:27 □□□□□

평안을 너희에게 끼치노니 곧 나의 평안을 너희에게 주노라 내가 너희에게 주는 것은 세상이 주는 것과 같지 아니하니라 너희는 마음에 근심하지도 말고 두려워하지도 말라

123 요한복음 15:1-2 □□□□□

나는 참포도나무요 내 아버지는 농부라 무릇 내게 붙어 있어 열매를 맺지 아니하는 가지는 아버지께서 그것을 제거해 버리시고 무릇 열매를 맺는 가지는 더 열매를 맺게 하려 하여 그것을 깨끗하게 하시느니라

레마의 말씀

DAY | . . 암송체크

124 **요한복음 15:3-4** □□□□□

너희는 내가 일러준 말로 이미 깨끗하여졌
으니
내 안에 거하라 나도 너희 안에 거하리라 가
지가 포도나무에 붙어 있지 아니하면 스스
로 열매를 맺을 수 없음같이 너희도 내 안에
있지 아니하면 그러하리라

125 **요한복음 15:5** □□□□□

나는 포도나무요 너희는 가지라 그가 내 안
에, 내가 그 안에 거하면 사람이 열매를 많
이 맺나니 나를 떠나서는 너희가 아무것도
할 수 없음이라

레마의 말씀

126 요한복음 15:7 □□□□□

너희가 내 안에 거하고 내 말이 너희 안에 거하면 무엇이든지 원하는 대로 구하라 그리하면 이루리라

127 요한복음 15:8 □□□□□

너희가 열매를 많이 맺으면 내 아버지께서 영광을 받으실 것이요 너희는 내 제자가 되리라

128 요한복음 15:9-10 □□□□□

아버지께서 나를 사랑하신 것같이 나도 너희를 사랑하였으니 나의 사랑 안에 거하라 내가 아버지의 계명을 지켜 그의 사랑 안에 거하는 것같이 너희도 내 계명을 지키면 내 사랑 안에 거하리라

레마의 말씀

DAY | . . 암송체크

129 요한복음 15:16 □□□□□

너희가 나를 택한 것이 아니요 내가 너희를 택하여 세웠나니 이는 너희로 가서 열매를 맺게 하고 또 너희 열매가 항상 있게 하여 내 이름으로 아버지께 무엇을 구하든지 다 받게 하려 함이라

130 요한복음 15:19 □□□□□

너희가 세상에 속하였으면 세상이 자기의 것을 사랑할 것이나 너희는 세상에 속한 자가 아니요 도리어 내가 너희를 세상에서 택하였기 때문에 세상이 너희를 미워하느니라

레마의 말씀

131 **요한복음 16:24** □□□□□

지금까지는 너희가 내 이름으로 아무것도 구하지 아니하였으나 구하라 그리하면 받으리니 너희 기쁨이 충만하리라

132 **요한복음 17:3** □□□□□

영생은 곧 유일하신 참 하나님과 그가 보내신 자 예수 그리스도를 아는 것이니이다

133 **요한복음 17:17** □□□□□

그들을 진리로 거룩하게 하옵소서 아버지의 말씀은 진리니이다

134 **요한복음 18:36a** □□□□□

예수께서 대답하시되 내 나라는 이 세상에 속한 것이 아니니라

레마의 말씀

DAY | . . 암송체크

135 **요한복음 20:29** □□□□□

예수께서 이르시되 너는 나를 본 고로 믿느냐 보지 못하고 믿는 자들은 복되도다 하시니라

136 **요한복음 20:31** □□□□□

오직 이것을 기록함은 너희로 예수께서 하나님의 아들 그리스도이심을 믿게 하려 함이요 또 너희로 믿고 그 이름을 힘입어 생명을 얻게 하려 함이니라

137 **요한복음 21:18** □□□□□

내가 진실로 진실로 네게 이르노니 네가 젊어서는 스스로 띠 띠고 원하는 곳으로 다녔거니와 늙어서는 네 팔을 벌리리니 남이 네게 띠 띠우고 원하지 아니하는 곳으로 데려가리라

레마의 말씀

사도행전

사도행전

138 **사도행전 1:4-5** □□□□□

사도와 함께 모이사 그들에게 분부하여 이르시되 예루살렘을 떠나지 말고 내게서 들은 바 아버지께서 약속하신 것을 기다리라 요한은 물로 세례를 베풀었으나 너희는 몇 날이 못되어 성령으로 세례를 받으리라 하셨느니라

139 **사도행전 1:8** □□□□□

오직 성령이 너희에게 임하시면 너희가 권능을 받고 예루살렘과 온 유대와 사마리아와 땅끝까지 이르러 내 증인이 되리라 하시니라

레마의 말씀

140 **사도행전 2:38** □□□□□

베드로가 이르되 너희가 회개하여 각각 예수 그리스도의 이름으로 세례를 받고 죄 사함을 받으라 그리하면 성령의 선물을 받으리니

141 **사도행전 3:6** □□□□□

베드로가 이르되 은과 금은 내게 없거니와 내게 있는 이것을 네게 주노니 나사렛 예수 그리스도의 이름으로 일어나 걸으라 하고

142 **사도행전 4:11** □□□□□

이 예수는 너희 건축자들의 버린 돌로서 집 모퉁이의 머릿돌이 되었느니라

레마의 말씀

DAY . .　　암송체크

143 사도행전 4:12 □□□□□

다른 이로써는 구원을 받을 수 없나니 천하 사람 중에 구원을 받을 만한 다른 이름을 우리에게 주신 일이 없음이라 하였더라

144 사도행전 13:1 □□□□□

안디옥 교회에 선지자들과 교사들이 있으니 곧 바나바와 니게르라 하는 시므온과 구레네 사람 루기오와 분봉 왕 헤롯의 젖동생 마나엔과 및 사울이라

145 사도행전 13:2 □□□□□

주를 섬겨 금식할 때에 성령이 이르시되 내가 불러 시키는 일을 위하여 바나바와 사울을 따로 세우라 하시니

레마의 말씀

DAY . . 암송체크

146 **사도행전 20:24** □□□□□

내가 달려갈 길과 주 예수께 받은 사명 곧 하나님의 은혜의 복음을 증언하는 일을 마치려 함에는 나의 생명조차 조금도 귀한 것으로 여기지 아니하노라

147 **사도행전 27:25** □□□□□

그러므로 여러분이여 안심하라 나는 내게 말씀하신 그대로 되리라고 하나님을 믿노라

레마의 말씀

로마서—유다서

DAY | . . 암송체크

로마서

148 로마서 1:1 □□□□□

예수 그리스도의 종 바울은 사도로 부르심을 받아 하나님의 복음을 위하여 택정함을 입었으니

149 로마서 1:2 □□□□□

이 복음은 하나님이 선지자들을 통하여 그의 아들에 관하여 성경에 미리 약속하신 것이라

150 로마서 1:3 □□□□□

그의 아들에 관하여 말하면 육신으로는 다윗의 혈통에서 나셨고

레마의 말씀

151 로마서 1:4 □□□□□

성결의 영으로는 죽은 자들 가운데서 부활하사 능력으로 하나님의 아들로 선포되셨으니 곧 우리 주 예수 그리스도시니라

152 로마서 1:5 □□□□□

그로 말미암아 우리가 은혜와 사도의 직분을 받아 그의 이름을 위하여 모든 이방인 중에서 믿어 순종하게 하나니

153 로마서 1:6 □□□□□

너희도 그들 중에서 예수 그리스도의 것으로 부르심을 받은 자니라

레마의 말씀

154 로마서 1:16 □□□□□

내가 복음을 부끄러워하지 아니하노니 이 복음은 모든 믿는 자에게 구원을 주시는 하나님의 능력이 됨이라 먼저는 유대인에게요 그리고 헬라인에게로다

155 로마서 1:17 □□□□□

복음에는 하나님의 의가 나타나서 믿음으로 믿음에 이르게 하나니 기록된 바 오직 의인은 믿음으로 말미암아 살리라 함과 같으니라

156 로마서 5:1 □□□□□

그러므로 우리가 믿음으로 의롭다 하심을 받았으니 우리 주 예수 그리스도로 말미암아 하나님과 화평을 누리자

레마의 말씀

DAY | . . 암송체크

157 로마서 5:2 □□□□□

또한 그로 말미암아 우리가 믿음으로 서 있는 이 은혜에 들어감을 얻었으며 하나님의 영광을 바라고 즐거워하느니라

158 로마서 5:3-4 □□□□□

다만 이뿐 아니라 우리가 환난 중에도 즐거워하나니 이는 환난은 인내를,
인내는 연단을, 연단은 소망을 이루는 줄 앎이로다

159 로마서 5:5 □□□□□

소망이 우리를 부끄럽게 하지 아니함은 우리에게 주신 성령으로 말미암아 하나님의 사랑이 우리 마음에 부은 바 됨이니

레마의 말씀

DAY . .

암송체크

160 **로마서 5:6** □□□□□

우리가 아직 연약할 때에 기약대로 그리스도께서 경건하지 않은 자를 위하여 죽으셨도다

161 **로마서 5:8** □□□□□

우리가 아직 죄인 되었을 때에 그리스도께서 우리를 위하여 죽으심으로 하나님께서 우리에 대한 자기의 사랑을 확증하셨느니라

레마의 말씀

DAY | . . 암송체크

162 **로마서 8:1-2** □□□□□

그러므로 이제 그리스도 예수 안에 있는 자에게는 결코 정죄함이 없나니
이는 그리스도 예수 안에 있는 생명의 성령의 법이 죄와 사망의 법에서 너를 해방하였음이라

163 **로마서 8:16** □□□□□

성령이 친히 우리의 영과 더불어 우리가 하나님의 자녀인 것을 증언하시나니

164 **로마서 8:17** □□□□□

자녀이면 또한 상속자 곧 하나님의 상속자요 그리스도와 함께 한 상속자니 우리가 그와 함께 영광을 받기 위하여 고난도 함께 받아야 할 것이니라

레마의 말씀

DAY | . . 암송체크

165 **로마서 8:18** □□□□□

생각하건대 현재의 고난은 장차 우리에게 나타날 영광과 비교할 수 없도다

166 **로마서 8:24** □□□□□

우리가 소망으로 구원을 얻었으매 보이는 소망이 소망이 아니니 보는 것을 누가 바라리요

167 **로마서 8:25** □□□□□

만일 우리가 보지 못하는 것을 바라면 참음으로 기다릴지니라

레마의 말씀

168 로마서 8:26 □□□□□

이와 같이 성령도 우리의 연약함을 도우시나니 우리는 마땅히 기도할 바를 알지 못하나 오직 성령이 말할 수 없는 탄식으로 우리를 위하여 친히 간구하시느니라

169 로마서 8:27 □□□□□

마음을 살피시는 이가 성령의 생각을 아시나니 이는 성령이 하나님의 뜻대로 성도를 위하여 간구하심이니라

170 로마서 8:28 □□□□□

우리가 알거니와 하나님을 사랑하는 자 곧 그의 뜻대로 부르심을 입은 자들에게는 모든 것이 합력하여 선을 이루느니라

레마의 말씀

171 **로마서 8:32** □□□□□

자기 아들을 아끼지 아니하시고 우리 모든 사람을 위하여 내주신 이가 어찌 그 아들과 함께 모든 것을 우리에게 주시지 아니하겠느냐

172 **로마서 8:35** □□□□□

누가 우리를 그리스도의 사랑에서 끊으리요 환난이나 곤고나 박해나 기근이나 적신이나 위험이나 칼이랴

173 **로마서 8:36** □□□□□

기록된 바 우리가 종일 주를 위하여 죽임을 당하게 되며 도살 당할 양같이 여김을 받았나이다 함과 같으니라

레마의 말씀

DAY | . . 암송체크

174 **로마서 8:37** □□□□□

그러나 이 모든 일에 우리를 사랑하시는 이로 말미암아 우리가 넉넉히 이기느니라

175 **로마서 12:1** □□□□□

그러므로 형제들아 내가 하나님의 모든 자비하심으로 너희를 권하노니 너희 몸을 하나님이 기뻐하시는 거룩한 산 제물로 드리라 이는 너희가 드릴 영적 예배니라

176 **로마서 12:2** □□□□□

너희는 이 세대를 본받지 말고 오직 마음을 새롭게 함으로 변화를 받아 하나님의 선하시고 기뻐하시고 온전하신 뜻이 무엇인지 분별하도록 하라

레마의 말씀

DAY | . .   암송체크

177 **로마서 12:9** □□□□□

사랑에는 거짓이 없나니 악을 미워하고 선에 속하라

178 **로마서 12:10** □□□□□

형제를 사랑하여 서로 우애하고 존경하기를 서로 먼저 하며

179 **로마서 12:11** □□□□□

부지런하여 게으르지 말고 열심을 품고 주를 섬기라

180 **로마서 14:7** □□□□□

우리 중에 누구든지 자기를 위하여 사는 자가 없고 자기를 위하여 죽는 자도 없도다

레마의 말씀

DAY | . . 암송체크

181 **로마서 14:8** □□□□□

우리가 살아도 주를 위하여 살고 죽어도 주
를 위하여 죽나니 그러므로 사나 죽으나 우
리가 주의 것이로다

182 **로마서 15:1** □□□□□

믿음이 강한 우리는 마땅히 믿음이 약한 자
의 약점을 담당하고 자기를 기쁘게 하지 아
니할 것이라

183 **로마서 15:2** □□□□□

우리 각 사람이 이웃을 기쁘게 하되 선을 이
루고 덕을 세우도록 할지니라

레마의 말씀

DAY . . 암송체크

고린도전서

184 고린도전서 1:18 □□□□□

십자가의 도가 멸망하는 자들에게는 미련한 것이요 구원을 받는 우리에게는 하나님의 능력이라

185 고린도전서 1:21 □□□□□

하나님의 지혜에 있어서는 이 세상이 자기 지혜로 하나님을 알지 못하므로 하나님께서 전도의 미련한 것으로 믿는 자들을 구원하시기를 기뻐하셨도다

레마의 말씀

DAY | . . 암송체크

186 **고린도전서 1:22-23** □ □ □ □ □

유대인은 표적을 구하고 헬라인은 지혜를 찾으나
우리는 십자가에 못 박힌 그리스도를 전하니 유대인에게는 거리끼는 것이요 이방인에게는 미련한 것이로되

187 **고린도전서 1:24** □ □ □ □ □

오직 부르심을 받은 자들에게는 유대인이나 헬라인이나 그리스도는 하나님의 능력이요 하나님의 지혜니라

레마의 말씀

DAY . . 암송체크

188 고린도전서 1:30 □□□□□

너희는 하나님으로부터 나서 그리스도 예수 안에 있고 예수는 하나님으로부터 나와서 우리에게 지혜와 의로움과 거룩함과 구원함이 되셨으니

189 고린도전서 2:1 □□□□□

형제들아 내가 너희에게 나아가 하나님의 증거를 전할 때에 말과 지혜의 아름다운 것으로 아니하였나니

190 고린도전서 2:2 □□□□□

내가 너희 중에서 예수 그리스도와 그가 십자가에 못 박히신 것 외에는 아무것도 알지 아니하기로 작정하였음이라

레마의 말씀

DAY | . . 암송체크

191 **고린도전서 2:4** □□□□□

내 말과 내 전도함이 설득력 있는 지혜의 말로 하지 아니하고 다만 성령의 나타나심과 능력으로 하여

192 **고린도전서 2:5** □□□□□

너희 믿음이 사람의 지혜에 있지 아니하고 다만 하나님의 능력에 있게 하려 하였노라

193 **고린도전서 2:9** □□□□□

기록된 바 하나님이 자기를 사랑하는 자들을 위하여 예비하신 모든 것은 눈으로 보지 못하고 귀로 듣지 못하고 사람의 마음으로 생각하지도 못하였다 함과 같으니라

레마의 말씀

DAY | . . 암송체크

194 고린도전서 3:6 □□□□□

나는 심었고 아볼로는 물을 주었으되 오직 하나님께서 자라나게 하셨나니

195 고린도전서 3:7 □□□□□

그런즉 심는 이나 물 주는 이는 아무것도 아니로되 오직 자라게 하시는 이는 하나님뿐이니라

196 고린도전서 3:8 □□□□□

심는 이와 물 주는 이는 한가지이나 각각 자기가 일한 대로 자기의 상을 받으리라

레마의 말씀

197 고린도전서 4:2 □ □ □ □ □

그리고 맡은 자들에게 구할 것은 충성이니라

198 고린도전서 4:19-20 □ □ □ □ □

주께서 허락하시면 내가 너희에게 속히 나아가서 교만한 자들의 말이 아니라 오직 그 능력을 알아보겠으니

하나님의 나라는 말에 있지 아니하고 오직 능력에 있음이라

레마의 말씀

DAY . . 암송체크

199 **고린도전서 6:18** □□□□□

음행을 피하라 사람이 범하는 죄마다 몸 밖에 있거니와 음행하는 자는 자기 몸에 죄를 범하느니라

200 **고린도전서 6:19-20** □□□□□

너희 몸은 너희가 하나님께로부터 받은 바 너희 가운데 계신 성령의 전인 줄을 알지 못하느냐 너희는 너희 자신의 것이 아니라

값으로 산 것이 되었으니 그런즉 너희 몸으로 하나님께 영광을 돌리라

레마의 말씀

201 고린도전서 9:26 □□□□□

그러므로 나는 달음질하기를 향방 없는 것 같이 아니하고 싸우기를 허공을 치는 것같이 아니하며

202 고린도전서 9:27 □□□□□

내가 내 몸을 쳐 복종하게 함은 내가 남에게 전파한 후에 자신이 도리어 버림을 당할까 두려워함이로다

레마의 말씀

DAY | . .　　암송체크

203　고린도전서 10:1-4　□□□□□

형제들아 나는 너희가 알지 못하기를 원하지 아니하노니 우리 조상들이 다 구름 아래에 있고 바다 가운데로 지나며
모세에게 속하여 다 구름과 바다에서 세례를 받고
다 같은 신령한 음식을 먹으며
다 같은 신령한 음료를 마셨으니 이는 그들을 따르는 신령한 반석으로부터 마셨으매 그 반석은 곧 그리스도시라

204　고린도전서 10:12　□□□□□

그런즉 선 줄로 생각하는 자는 넘어질까 조심하라

레마의 말씀

DAY | . . 암송체크

205 **고린도전서 10:13** □□□□□

사람이 감당할 시험밖에는 너희가 당한 것이 없나니 오직 하나님은 미쁘사 너희가 감당하지 못할 시험 당함을 허락하지 아니하시고 시험 당할 즈음에 또한 피할 길을 내사 너희로 능히 감당하게 하시느니라

206 **고린도전서 10:23** □□□□□

모든 것이 가하나 모든 것이 유익한 것은 아니요 모든 것이 가하나 모든 것이 덕을 세우는 것은 아니니

207 **고린도전서 10:24** □□□□□

누구든지 자기의 유익을 구하지 말고 남의 유익을 구하라

레마의 말씀

DAY | . . 암송체크

208 고린도전서 10:31 □□□□□

그런즉 너희가 먹든지 마시든지 무엇을 하든지 다 하나님의 영광을 위하여 하라

209 고린도전서 11:23-24 □□□□□

내가 너희에게 전한 것은 주께 받은 것이니 곧 주 예수께서 잡히시던 밤에 떡을 가지사 축사하시고 떼어 이르시되 이것은 너희를 위하는 내 몸이니 이것을 행하여 나를 기념하라 하시고

210 고린도전서 11:25 □□□□□

식후에 또한 그와 같이 잔을 가지시고 이르시되 이 잔은 내 피로 세운 새 언약이니 이것을 행하여 마실 때마다 나를 기념하라 하셨으니

레마의 말씀

211 **고린도전서 11:26** □□□□□

너희가 이 떡을 먹으며 이 잔을 마실 때마다 주의 죽으심을 그가 오실 때까지 전하는 것이니라

212 **고린도전서 11:27** □□□□□

그러므로 누구든지 주의 떡이나 잔을 합당하지 않게 먹고 마시는 자는 주의 몸과 피에 대하여 죄를 짓는 것이니라

213 **고린도전서 11:28** □□□□□

사람이 자기를 살피고 그 후에야 이 떡을 먹고 이 잔을 마실지니

레마의 말씀

암송체크

214 고린도전서 11:29 □□□□□

주의 몸을 분별하지 못하고 먹고 마시는 자는 자기의 죄를 먹고 마시는 것이니라

215 고린도전서 12:31 □□□□□

너희는 더욱 큰 은사를 사모하라 내가 또한 가장 좋은 길을 너희에게 보이리라

216 고린도전서 13:9-10 □□□□□

우리는 부분적으로 알고 부분적으로 예언하니

온전한 것이 올 때에는 부분적으로 하던 것이 폐하리라

레마의 말씀

DAY | . . 암송체크

217 고린도전서 13:11 □□□□□

내가 어렸을 때에는 말하는 것이 어린아이와 같고 깨닫는 것이 어린아이와 같고 생각하는 것이 어린아이와 같다가 장성한 사람이 되어서는 어린아이의 일을 버렸노라

218 고린도전서 13:12 □□□□□

우리가 지금은 거울로 보는 것같이 희미하나 그때에는 얼굴과 얼굴을 대하여 볼 것이요 지금은 내가 부분적으로 아나 그때에는 주께서 나를 아신 것같이 내가 온전히 알리라

219 고린도전서 13:13 □□□□□

그런즉 믿음, 소망, 사랑, 이 세 가지는 항상 있을 것인데 그 중의 제일은 사랑이라

레마의 말씀

220 **고린도전서 14:4** □□□□□

방언을 말하는 자는 자기의 덕을 세우고 예언하는 자는 교회의 덕을 세우나니

221 **고린도전서 14:14-15** □□□□□

내가 만일 방언으로 기도하면 나의 영이 기도하거니와 나의 마음은 열매를 맺지 못하리라

그러면 어떻게 할까 내가 영으로 기도하고 또 마음으로 기도하며 내가 영으로 찬송하고 또 마음으로 찬송하리라

레마의 말씀

222 **고린도전서 14:39** □□□□□

그런즉 내 형제들아 예언하기를 사모하며 방언 말하기를 금하지 말라

223 **고린도전서 15:1-2** □□□□□

형제들아 내가 너희에게 전한 복음을 너희에게 알게 하노니 이는 너희가 받은 것이요 또 그 가운데 선 것이라

너희가 만일 내가 전한 그 말을 굳게 지키고 헛되이 믿지 아니하였으면 그로 말미암아 구원을 받으리라

레마의 말씀

224 고린도전서 15:10 □□□□□

그러나 내가 나 된 것은 하나님의 은혜로 된 것이니 내게 주신 그의 은혜가 헛되지 아니하여 내가 모든 사도보다 더 많이 수고하였으나 내가 한 것이 아니요 오직 나와 함께 하신 하나님의 은혜로라

225 고린도전서 15:19-20 □□□□□

만일 그리스도 안에서 우리가 바라는 것이 다만 이 세상의 삶뿐이면 모든 사람 가운데 우리가 더욱 불쌍한 자이리라

그러나 이제 그리스도께서 죽은 자 가운데서 다시 살아나사 잠자는 자들의 첫 열매가 되셨도다

레마의 말씀

226 **고린도전서 15:21-22** □□□□□

사망이 한 사람으로 말미암았으니 죽은 자의 부활도 한 사람으로 말미암는도다
아담 안에서 모든 사람이 죽은 것같이 그리스도 안에서 모든 사람이 삶을 얻으리라

227 **고린도전서 15:33-34** □□□□□

속지 말라 악한 동무들은 선한 행실을 더럽히나니
깨어 의를 행하고 죄를 짓지 말라 하나님을 알지 못하는 자가 있기로 내가 너희를 부끄럽게 하기 위하여 말하노라

레마의 말씀

DAY | . .　　　암송체크

228 **고린도전서 15:35-38** □□□□□

누가 묻기를 죽은 자들이 어떻게 다시 살아
나며 어떠한 몸으로 오느냐 하리니
어리석은 자여 네가 뿌리는 씨가 죽지 않으
면 살아나지 못하겠고
또 네가 뿌리는 것은 장래의 형체를 뿌리는
것이 아니요 다만 밀이나 다른 것의 알맹이
뿐이로되
하나님이 그 뜻대로 그에게 형체를 주시되
각 종자에게 그 형체를 주시느니라

레마의 말씀

229 고린도전서 15:40-41 □□□□□

하늘에 속한 형체도 있고 땅에 속한 형체도 있으나 하늘에 속한 것의 영광이 따로 있고 땅에 속한 것의 영광이 따로 있으니

해의 영광이 다르고 달의 영광이 다르며 별의 영광도 다른데 별과 별의 영광이 다르도다

230 고린도전서 15:42-44 □□□□□

죽은 자의 부활도 그와 같으니 썩을 것으로 심고 썩지 아니할 것으로 다시 살아나며

욕된 것으로 심고 영광스러운 것으로 다시 살아나며 약한 것으로 심고 강한 것으로 다시 살아나며

육의 몸으로 심고 신령한 몸으로 다시 살아나나니 육의 몸이 있은즉 또 영의 몸도 있느니라

레마의 말씀

DAY | . .

암송체크

231 고린도전서 15:49 □□□□□

우리가 흙에 속한 자의 형상을 입은 것같이 또한 하늘에 속한 이의 형상을 입으리라

232 고린도전서 15:50 □□□□□

형제들아 내가 이것을 말하노니 혈과 육은 하나님 나라를 이어 받을 수 없고 또한 썩는 것은 썩지 아니하는 것을 유업으로 받지 못하느니라

233 고린도전서 15:51-52 □□□□□

보라 내가 너희에게 비밀을 말하노니 우리가 다 잠 잘 것이 아니요 마지막 나팔에 순식간에 홀연히 다 변화되리니

나팔 소리가 나매 죽은 자들이 썩지 아니할 것으로 다시 살아나고 우리도 변화되리라

레마의 말씀

DAY | . . 암송체크

234 **고린도전서 15:55-58** □□□□□

사망아 너의 승리가 어디 있느냐 사망아 네가 쏘는 것이 어디 있느냐

사망이 쏘는 것은 죄요 죄의 권능은 율법이라

우리 주 예수 그리스도로 말미암아 우리에게 승리를 주시는 하나님께 감사하노니

그러므로 내 사랑하는 형제들아 견실하며 흔들리지 말고 항상 주의 일에 더욱 힘쓰는 자들이 되라 이는 너희 수고가 주 안에서 헛되지 않은 줄 앎이라

레마의 말씀

고린도후서

235 고린도후서 1:8 □□□□□

형제들아 우리가 아시아에서 당한 환난을 너희가 모르기를 원하지 아니하노니 힘에 겹도록 심한 고난을 당하여 살 소망까지 끊어지고

236 고린도후서 1:9 □□□□□

우리는 우리 자신이 사형 선고를 받은 줄 알았으니 이는 우리로 자기를 의지하지 말고 오직 죽은 자를 다시 살리시는 하나님만 의지하게 하심이라

레마의 말씀

DAY | . . 암송체크

237 고린도후서 4:6 □ □ □ □ □

어두운 데에 빛이 비치라 말씀하셨던 그 하나님께서 예수 그리스도의 얼굴에 있는 하나님의 영광을 아는 빛을 우리 마음에 비추셨느니라

238 고린도후서 4:7 □ □ □ □ □

우리가 이 보배를 질그릇에 가졌으니 이는 심히 큰 능력은 하나님께 있고 우리에게 있지 아니함을 알게 하려 함이라

239 고린도후서 4:8 □ □ □ □ □

우리가 사방으로 욱여쌈을 당하여도 싸이지 아니하며 답답한 일을 당하여도 낙심하지 아니하며

레마의 말씀

DAY | . . 암송체크

240 **고린도후서 4:9** □□□□□

박해를 받아도 버린 바 되지 아니하며 거꾸
러뜨림을 당하여도 망하지 아니하고

241 **고린도후서 4:10** □□□□□

우리가 항상 예수의 죽음을 몸에 짊어짐은
예수의 생명이 또한 우리 몸에 나타나게 하
려 함이라

242 **고린도후서 4:11** □□□□□

우리 살아 있는 자가 항상 예수를 위하여 죽
음에 넘겨짐은 예수의 생명이 또한 우리 죽
을 육체에 나타나게 하려 함이라

레마의 말씀

243 고린도후서 4:16 □□□□□

그러므로 우리가 낙심하지 아니하노니 우리의 겉사람은 낡아지나 우리의 속사람은 날로 새로워지도다

244 고린도후서 4:17 □□□□□

우리가 잠시 받는 환난의 경한 것이 지극히 크고 영원한 영광의 중한 것을 우리에게 이루게 함이니

245 고린도후서 4:18 □□□□□

우리가 주목하는 것은 보이는 것이 아니요 보이지 않는 것이니 보이는 것은 잠깐이요 보이지 않는 것은 영원함이라

레마의 말씀

246 **고린도후서 5:17** □□□□□

그런즉 누구든지 그리스도 안에 있으면 새로운 피조물이라 이전 것은 지나갔으니 보라 새 것이 되었도다

247 **고린도후서 7:1** □□□□□

그런즉 사랑하는 자들아 이 약속을 가진 우리는 하나님을 두려워하는 가운데서 거룩함을 온전히 이루어 육과 영의 온갖 더러운 것에서 자신을 깨끗하게 하자

248 **고린도후서 8:2** □□□□□

환난의 많은 시련 가운데서 그들의 넘치는 기쁨과 극심한 가난이 그들의 풍성한 연보를 넘치도록 하게 하였느니라

레마의 말씀

DAY . . 암송체크

249 **고린도후서 8:3-4** □□□□□

내가 증언하노니 그들이 힘대로 할 뿐 아니라 힘에 지나도록 자원하여
이 은혜와 성도 섬기는 일에 참여함에 대하여 우리에게 간절히 구하니

250 **고린도후서 8:5** □□□□□

우리가 바라던 것뿐 아니라 그들이 먼저 자신을 주께 드리고 또 하나님의 뜻을 따라 우리에게 주었도다

레마의 말씀

DAY . . 암송체크

251 고린도후서 8:9 □□□□□

우리 주 예수 그리스도의 은혜를 너희가 알거니와 부요하신 이로서 너희를 위하여 가난하게 되심은 그의 가난함으로 말미암아 너희를 부요하게 하려 하심이라

252 고린도후서 9:6 □□□□□

이것이 곧 적게 심는 자는 적게 거두고 많이 심는 자는 많이 거둔다 하는 말이로다

253 고린도후서 9:7 □□□□□

각각 그 마음에 정한 대로 할 것이요 인색함으로나 억지로 하지 말지니 하나님은 즐겨 내는 자를 사랑하시느니라

레마의 말씀

254 고린도후서 9:8 □□□□□

하나님이 능히 모든 은혜를 너희에게 넘치게 하시나니 이는 너희로 모든 일에 항상 모든 것이 넉넉하여 모든 착한 일을 넘치게 하게 하려 하심이라

갈라디아서

255 갈라디아서 2:21 □□□□□

내가 하나님의 은혜를 폐하지 아니하노니 만일 의롭게 되는 것이 율법으로 말미암으면 그리스도께서 헛되이 죽으셨느니라

256 갈라디아서 3:6 □□□□□

아브라함이 하나님을 믿으매 그것을 그에게 의로 정하셨다 함과 같으니라

레마의 말씀

DAY . . 암송체크

257 **갈라디아서 3:7** □□□□□

그런즉 믿음으로 말미암은 자들은 아브라함의 자손인 줄 알지어다

258 **갈라디아서 3:9** □□□□□

그러므로 믿음으로 말미암은 자는 믿음이 있는 아브라함과 함께 복을 받느니라

259 **갈라디아서 3:13** □□□□□

그리스도께서 우리를 위하여 저주를 받은 바 되사 율법의 저주에서 우리를 속량하셨으니 기록된 바 나무에 달린 자마다 저주 아래에 있는 자라 하였음이라

레마의 말씀

DAY | . . 암송체크

260 **갈라디아서 3:26** □□□□□

너희가 다 믿음으로 말미암아 그리스도 예수 안에서 하나님의 아들이 되었으니

261 **갈라디아서 3:27** □□□□□

누구든지 그리스도와 합하기 위하여 세례를 받은 자는 그리스도로 옷 입었느니라

262 **갈라디아서 5:1** □□□□□

그리스도께서 우리를 자유롭게 하려고 자유를 주셨으니 그러므로 굳건하게 서서 다시는 종의 멍에를 메지 말라

레마의 말씀

263 갈라디아서 5:13 □□□□□

형제들아 너희가 자유를 위하여 부르심을 입었으나 그러나 그 자유로 육체의 기회를 삼지 말고 오직 사랑으로 서로 종 노릇 하라

264 갈라디아서 6:2 □□□□□

너희가 짐을 서로 지라 그리하여 그리스도의 법을 성취하라

265 갈라디아서 6:7 □□□□□

스스로 속이지 말라 하나님은 업신여김을 받지 아니하시나니 사람이 무엇으로 심든지 그대로 거두리라

레마의 말씀

266 갈라디아서 6:8 □□□□□

자기의 육체를 위하여 심는 자는 육체로부터 썩어질 것을 거두고 성령을 위하여 심는 자는 성령으로부터 영생을 거두리라

267 갈라디아서 6:9 □□□□□

우리가 선을 행하되 낙심하지 말지니 포기하지 아니하면 때가 이르매 거두리라

268 갈라디아서 6:17 □□□□□

이후로는 누구든지 나를 괴롭게 하지 말라 내가 내 몸에 예수의 흔적을 지니고 있노라

레마의 말씀

에베소서

269 에베소서 1:17 □□□□□

우리 주 예수 그리스도의 하나님, 영광의 아버지께서 지혜와 계시의 영을 너희에게 주사 하나님을 알게 하시고

270 에베소서 1:18-19 □□□□□

너희 마음의 눈을 밝히사 그의 부르심의 소망이 무엇이며 성도 안에서 그 기업의 영광의 풍성함이 무엇이며

그의 힘의 위력으로 역사하심을 따라 믿는 우리에게 베푸신 능력의 지극히 크심이 어떠한 것을 너희로 알게 하시기를 구하노라

레마의 말씀

271 **에베소서 1:23** □□□□□

교회는 그의 몸이니 만물 안에서 만물을 충만하게 하시는 이의 충만함이니라

272 **에베소서 2:10** □□□□□

우리는 그가 만드신 바라 그리스도 예수 안에서 선한 일을 위하여 지으심을 받은 자니 이 일은 하나님이 전에 예비하사 우리로 그 가운데서 행하게 하려 하심이니라

273 **에베소서 3:7** □□□□□

이 복음을 위하여 그의 능력이 역사하시는 대로 내게 주신 하나님의 은혜의 선물을 따라 내가 일꾼이 되었노라

레마의 말씀

DAY | . . 암송체크

274 에베소서 3:16 □□□□□

그의 영광의 풍성함을 따라 그의 성령으로 말미암아 너희 속사람을 능력으로 강건하게 하시오며

275 에베소서 3:17 □□□□□

믿음으로 말미암아 그리스도께서 너희 마음에 계시게 하시옵고 너희가 사랑 가운데서 뿌리가 박히고 터가 굳어져서

276 에베소서 3:18 □□□□□

능히 모든 성도와 함께 지식에 넘치는 그리스도의 사랑을 알고

레마의 말씀

277 **에베소서 3:19** □□□□□

그 너비와 길이와 높이와 깊이가 어떠함을 깨달아 하나님의 모든 충만하신 것으로 너희에게 충만하게 하시기를 구하노라

278 **에베소서 4:22** □□□□□

너희는 유혹의 욕심을 따라 썩어져 가는 구습을 따르는 옛 사람을 벗어 버리고

279 **에베소서 4:23-24** □□□□□

오직 너희의 심령이 새롭게 되어

하나님을 따라 의와 진리의 거룩함으로 지으심을 받은 새 사람을 입으라

레마의 말씀

DAY | . . 암송체크

280 **에베소서 5:8** □□□□□

너희가 전에는 어둠이더니 이제는 주 안에서 빛이라 빛의 자녀들처럼 행하라

281 **에베소서 5:9** □□□□□

빛의 열매는 모든 착함과 의로움과 진실함에 있느니라

282 **에베소서 5:18** □□□□□

술 취하지 말라 이는 방탕한 것이니 오직 성령으로 충만함을 받으라

283 **에베소서 6:12** □□□□□

우리의 씨름은 혈과 육을 상대하는 것이 아니요 통치자들과 권세들과 이 어둠의 세상 주관자들과 하늘에 있는 악의 영들을 상대함이라

레마의 말씀

DAY | . . 암송체크

284 **에베소서 6:13** □□□□□

그러므로 하나님의 전신 갑주를 취하라 이는 악한 날에 너희가 능히 대적하고 모든 일을 행한 후에 서기 위함이라

285 **에베소서 6:19** □□□□□

또 나를 위하여 구할 것은 내게 말씀을 주사 나로 입을 열어 복음의 비밀을 담대히 알리게 하옵소서 할 것이니

빌립보서

286 **빌립보서 1:6** □□□□□

너희 안에서 착한 일을 시작하신 이가 그리스도 예수의 날까지 이루실 줄을 우리는 확신하노라

레마의 말씀

287 **빌립보서** 1:9 □□□□□

내가 기도하노라 너희 사랑을 지식과 모든
총명으로 점점 더 풍성하게 하사

288 **빌립보서** 1:10 □□□□□

너희로 지극히 선한 것을 분별하며 또 진실
하여 허물 없이 그리스도의 날까지 이르고

289 **빌립보서** 1:11 □□□□□

예수 그리스도로 말미암아 의의 열매가 가
득하여 하나님의 영광과 찬송이 되기를 원
하노라

레마의 말씀

DAY | . . 암송체크

290 빌립보서 1:20 □□□□□

나의 간절한 기대와 소망을 따라 아무 일에든지 부끄러워하지 아니하고 지금도 전과 같이 온전히 담대하여 살든지 죽든지 내 몸에서 그리스도가 존귀하게 되게 하려 하나니

291 빌립보서 1:21 □□□□□

이는 내게 사는 것이 그리스도니 죽는 것도 유익함이라

292 빌립보서 2:5 □□□□□

너희 안에 이 마음을 품으라 곧 그리스도 예수의 마음이니

레마의 말씀

293 **빌립보서 2:6-8** □□□□□

그는 근본 하나님의 본체시나 하나님과 동등됨을 취할 것으로 여기지 아니하시고
오히려 자기를 비워 종의 형체를 가지사 사람들과 같이 되셨고
사람의 모양으로 나타나사 자기를 낮추시고 죽기까지 복종하셨으니 곧 십자가에 죽으심이라

294 **빌립보서 2:9** □□□□□

이러므로 하나님이 그를 지극히 높여 모든 이름 위에 뛰어난 이름을 주사

레마의 말씀

DAY | . . 암송체크

295 빌립보서 2:10 □□□□□

하늘에 있는 자들과 땅에 있는 자들과 땅 아래에 있는 자들로 모든 무릎을 예수의 이름에 꿇게 하시고

296 빌립보서 2:11 □□□□□

모든 입으로 예수 그리스도를 주라 시인하여 하나님 아버지께 영광을 돌리게 하셨느니라

297 빌립보서 2:13 □□□□□

너희 안에서 행하시는 이는 하나님이시니 자기의 기쁘신 뜻을 위하여 너희에게 소원을 두고 행하게 하시나니

레마의 말씀

DAY | . . 암송체크

298 빌립보서 2:14 □□□□□

모든 일을 원망과 시비가 없이 하라

299 빌립보서 2:15 □□□□□

이는 너희가 흠이 없고 순전하여 어그러지고 거스르는 세대 가운데서 하나님의 흠 없는 자녀로 세상에서 그들 가운데 빛들로 나타내며

300 빌립보서 2:16 □□□□□

생명의 말씀을 밝혀 나의 달음질이 헛되지 아니하고 수고도 헛되지 아니함으로 그리스도의 날에 내가 자랑할 것이 있게 하려 함이라

레마의 말씀

DAY . . 암송체크

301 빌립보서 3:7-8a □□□□□

그러나 무엇이든지 내게 유익하던 것을 내가 그리스도를 위하여 다 해로 여길뿐더러 또한 모든 것을 해로 여김은 내 주 그리스도 예수를 아는 지식이 가장 고상하기 때문이라

302 빌립보서 3:13-14 □□□□□

형제들아 나는 아직 내가 잡은 줄로 여기지 아니하고 오직 한 일 즉 뒤에 있는 것은 잊어버리고 앞에 있는 것을 잡으려고

푯대를 향하여 그리스도 예수 안에서 하나님이 위에서 부르신 부름의 상을 위하여 달려가노라

레마의 말씀

DAY | . .   암송체크

303 빌립보서 4:4 □□□□□

주 안에서 항상 기뻐하라 내가 다시 말하노니 기뻐하라

304 빌립보서 4:5 □□□□□

너희 관용을 모든 사람에게 알게 하라 주께서 가까우시니라

305 빌립보서 4:6 □□□□□

아무것도 염려하지 말고 다만 모든 일에 기도와 간구로, 너희 구할 것을 감사함으로 하나님께 아뢰라

레마의 말씀

306 빌립보서 4:7 □□□□□

그리하면 모든 지각에 뛰어난 하나님의 평강이 그리스도 예수 안에서 너희 마음과 생각을 지키시리라

307 빌립보서 4:8 □□□□□

끝으로 형제들아 무엇에든지 참되며 무엇에든지 경건하며 무엇에든지 옳으며 무엇에든지 정결하며 무엇에든지 사랑 받을 만하며 무엇에든지 칭찬 받을 만하며 무슨 덕이 있든지 무슨 기림이 있든지 이것들을 생각하라

레마의 말씀

DAY . . 암송체크

308 **빌립보서** 4:9 □□□□□

너희는 내게 배우고 받고 듣고 본 바를 행하라 그리하면 평강의 하나님이 너희와 함께 계시리라

309 **빌립보서** 4:11 □□□□□

내가 궁핍하므로 말하는 것이 아니니라 어떠한 형편에든지 나는 자족하기를 배웠노니

310 **빌립보서** 4:12 □□□□□

나는 비천에 처할 줄도 알고 풍부에 처할 줄도 알아 모든 일 곧 배부름과 배고픔과 풍부와 궁핍에도 처할 줄 아는 일체의 비결을 배웠노라

레마의 말씀

311 **빌립보서 4:13** □□□□□

내게 능력 주시는 자 안에서 내가 모든 것을 할 수 있느니라

312 **빌립보서 4:19** □□□□□

나의 하나님이 그리스도 예수 안에서 영광 가운데 그 풍성한 대로 너희 모든 쓸 것을 채우시리라

골로새서

313 **골로새서 2:6** □□□□□

그러므로 너희가 그리스도 예수를 주로 받았으니 그 안에서 행하되

레마의 말씀

314 골로새서 2:7 □□□□□

그 안에 뿌리를 박으며 세움을 받아 교훈을 받은 대로 믿음에 굳게 서서 감사함을 넘치게 하라

315 골로새서 2:19b □□□□□

온몸이 머리로 말미암아 마디와 힘줄로 공급함을 받고 연합하여 하나님이 자라게 하시므로 자라느니라

316 골로새서 3:5 □□□□□

그러므로 땅에 있는 지체를 죽이라 곧 음란과 부정과 사욕과 악한 정욕과 탐심이니 탐심은 우상 숭배니라

레마의 말씀

317 골로새서 3:15 □□□□□

그리스도의 평강이 너희 마음을 주장하게 하라 너희는 평강을 위하여 한 몸으로 부르심을 받았나니 너희는 또한 감사하는 자가 되라

318 골로새서 3:16 □□□□□

그리스도의 말씀이 너희 속에 풍성히 거하여 모든 지혜로 피차 가르치며 권면하고 시와 찬송과 신령한 노래를 부르며 감사하는 마음으로 하나님을 찬양하고

319 골로새서 3:18 □□□□□

아내들아 남편에게 복종하라 이는 주 안에서 마땅하니라

레마의 말씀

DAY . . 암송체크

320 골로새서 3:19 □□□□□

남편들아 아내를 사랑하며 괴롭게 하지 말라

321 골로새서 3:20 □□□□□

자녀들아 모든 일에 부모에게 순종하라 이는 주 안에서 기쁘게 하는 것이니라

322 골로새서 3:21 □□□□□

아비들아 너희 자녀를 노엽게 하지 말지니 낙심할까 함이라

레마의 말씀

323 **골로새서 3:22** □□□□□

종들아 모든 일에 육신의 상전들에게 순종하되 사람을 기쁘게 하는 자와 같이 눈가림만 하지 말고 오직 주를 두려워하여 성실한 마음으로 하라

324 **골로새서 3:23** □□□□□

무슨 일을 하든지 마음을 다하여 주께 하듯 하고 사람에게 하듯 하지 말라

325 **골로새서 4:6** □□□□□

너희 말을 항상 은혜 가운데서 소금으로 맛을 냄과 같이 하라 그리하면 각 사람에게 마땅히 대답할 것을 알리라

레마의 말씀

데살로니가전서

326 데살로니가전서 1:2-3 □□□□□

우리가 너희 모두로 말미암아 항상 하나님께 감사하며 기도할 때에 너희를 기억함은 너희의 믿음의 역사와 사랑의 수고와 우리 주 예수 그리스도에 대한 소망의 인내를 우리 하나님 아버지 앞에서 끊임없이 기억함이니

327 데살로니가전서 1:4 □□□□□

하나님의 사랑하심을 받은 형제들아 너희를 택하심을 아노라

레마의 말씀

328 **데살로니가전서 4:3** □□□□□

하나님의 뜻은 이것이니 너희의 거룩함이라 곧 음란을 버리고

329 **데살로니가전서 5:4** □□□□□

형제들아 너희는 어둠에 있지 아니하매 그 날이 도둑같이 너희에게 임하지 못하리니

330 **데살로니가전서 5:5** □□□□□

너희는 다 빛의 아들이요 낮의 아들이라 우리가 밤이나 어둠에 속하지 아니하나니

331 **데살로니가전서 5:6** □□□□□

그러므로 우리는 다른 이들과 같이 자지 말고 오직 깨어 정신을 차릴지라

레마의 말씀

332 데살로니가전서 5:15 □□□□□

삼가 누가 누구에게든지 악으로 악을 갚지 말게 하고 서로 대하든지 모든 사람을 대하든지 항상 선을 따르라

333 데살로니가전서 5:16-18 □□□□□

항상 기뻐하라
쉬지 말고 기도하라
범사에 감사하라 이것이 그리스도 예수 안에서 너희를 향하신 하나님의 뜻이니라

레마의 말씀

334 데살로니가전서 5:19-22 □□□□□

성령을 소멸하지 말며
예언을 멸시하지 말고
범사에 헤아려 좋은 것을 취하고
악은 어떤 모양이라도 버리라

335 데살로니가전서 5:23 □□□□□

평강의 하나님이 친히 너희를 온전히 거룩하게 하시고 또 너희의 온 영과 혼과 몸이 우리 주 예수 그리스도께서 강림하실 때에 흠 없게 보전되기를 원하노라

레마의 말씀

336　데살로니가전서 5:24 □□□□□

너희를 부르시는 이는 미쁘시니 그가 또한 이루시리라

데살로니가후서

337　데살로니가후서 3:2 □□□□□

또한 우리를 부당하고 악한 사람들에게서 건지시옵소서 하라 믿음은 모든 사람의 것이 아니니라

338　데살로니가후서 3:3 □□□□□

주는 미쁘사 너희를 굳건하게 하시고 악한 자에게서 지키시리라

레마의 말씀

339 데살로니가후서 3:16 □□□□□

평강의 주께서 친히 때마다 일마다 너희에게 평강을 주시고 주께서 너희 모든 사람과 함께하시기를 원하노라

디모데전서

340 디모데전서 1:12 □□□□□

나를 능하게 하신 그리스도 예수 우리 주께 내가 감사함은 나를 충성되이 여겨 내게 직분을 맡기심이니

341 디모데전서 1:14 □□□□□

우리 주의 은혜가 그리스도 예수 안에 있는 믿음과 사랑과 함께 넘치도록 풍성하였도다

레마의 말씀

342 디모데전서 1:15 □□□□□

미쁘다 모든 사람이 받을 만한 이 말이여 그리스도 예수께서 죄인을 구원하시려고 세상에 임하셨다 하였도다 죄인 중에 내가 괴수니라

343 디모데전서 1:18 □□□□□

아들 디모데야 내가 네게 이 교훈으로써 명하노니 전에 너를 지도한 예언을 따라 그것으로 선한 싸움을 싸우며

344 디모데전서 1:19 □□□□□

믿음과 착한 양심을 가지라 어떤 이들은 이 양심을 버렸고 그 믿음에 관하여는 파선하였느니라

레마의 말씀

345 **디모데전서** 2:4 □□□□□

하나님은 모든 사람이 구원을 받으며 진리를 아는 데에 이르기를 원하시느니라

346 **디모데전서** 2:5 □□□□□

하나님은 한 분이시요 또 하나님과 사람 사이에 중보자도 한 분이시니 곧 사람이신 그리스도 예수라

347 **디모데전서** 6:10 □□□□□

돈을 사랑함이 일만 악의 뿌리가 되나니 이것을 탐내는 자들은 미혹을 받아 믿음에서 떠나 많은 근심으로써 자기를 찔렀도다

레마의 말씀

348 디모데전서 6:11 □□□□□

오직 너 하나님의 사람아 이것들을 피하고 의와 경건과 믿음과 사랑과 인내와 온유를 따르며

349 디모데전서 6:12 □□□□□

믿음의 선한 싸움을 싸우라 영생을 취하라 이를 위하여 네가 부르심을 받았고 많은 증인 앞에서 선한 증언을 하였도다

350 디모데전서 6:13 □□□□□

만물을 살게 하신 하나님 앞과 본디오 빌라도를 향하여 선한 증언을 하신 그리스도 예수 앞에서 내가 너를 명하노니

레마의 말씀

351 디모데전서 6:14 □□□□□

우리 주 예수 그리스도께서 나타나실 때까지 흠도 없고 책망 받을 것도 없이 이 명령을 지키라

352 디모데전서 6:16 □□□□□

오직 그에게만 죽지 아니함이 있고 가까이 가지 못할 빛에 거하시고 어떤 사람도 보지 못하였고 또 볼 수 없는 이시니 그에게 존귀와 영원한 권능을 돌릴지어다 아멘

레마의 말씀

디모데후서

353 **디모데후서 1:7** □□□□□

하나님이 우리에게 주신 것은 두려워하는 마음이 아니요 오직 능력과 사랑과 절제하는 마음이니

354 **디모데후서 1:8** □□□□□

그러므로 너는 내가 우리 주를 증언함과 또는 주를 위하여 갇힌 자 된 나를 부끄러워하지 말고 오직 하나님의 능력을 따라 복음과 함께 고난을 받으라

레마의 말씀

DAY   . .   암송체크

355 디모데후서 2:3 □□□□□

너는 그리스도 예수의 좋은 병사로 나와 함께 고난을 받으라

356 디모데후서 2:4 □□□□□

병사로 복무하는 자는 자기 생활에 얽매이는 자가 하나도 없나니 이는 병사로 모집한 자를 기쁘게 하려 함이라

357 디모데후서 2:11 □□□□□

미쁘다 이 말이여 우리가 주와 함께 죽었으면 또한 함께 살 것이요

레마의 말씀

358 디모데후서 3:14-15 □□□□□

그러나 너는 배우고 확신한 일에 거하라 너는 네가 누구에게서 배운 것을 알며

또 어려서부터 성경을 알았나니 성경은 능히 너로 하여금 그리스도 예수 안에 있는 믿음으로 말미암아 구원에 이르는 지혜가 있게 하느니라

359 디모데후서 3:16 □□□□□

모든 성경은 하나님의 감동으로 된 것으로 교훈과 책망과 바르게 함과 의로 교육하기에 유익하니

레마의 말씀

360 디모데후서 4:6-7 □□□□□

전제와 같이 내가 벌써 부어지고 나의 떠날 시각이 가까웠도다
나는 선한 싸움을 싸우고 나의 달려갈 길을 마치고 믿음을 지켰으니

361 디모데후서 4:8 □□□□□

이제 후로는 나를 위하여 의의 면류관이 예비되었으므로 주 곧 의로우신 재판장이 그 날에 내게 주실 것이며 내게만 아니라 주의 나타나심을 사모하는 모든 자에게도니라

레마의 말씀

DAY | . . 암송체크

히브리서

362 히브리서 1:1-2 □□□□□

옛적에 선지자들을 통하여 여러 부분과 여러 모양으로 우리 조상들에게 말씀하신 하나님이
이 모든 날 마지막에는 아들을 통하여 우리에게 말씀하셨으니 이 아들을 만유의 상속자로 세우시고 또 그로 말미암아 모든 세계를 지으셨느니라

레마의 말씀

363 **히브리서 1:3** □□□□□

이는 하나님의 영광의 광채시요 그 본체의 형상이시라 그의 능력의 말씀으로 만물을 붙드시며 죄를 정결하게 하는 일을 하시고 높은 곳에 계신 지극히 크신 이의 우편에 앉으셨느니라

364 **히브리서 4:12** □□□□□

하나님의 말씀은 살아 있고 활력이 있어 좌우에 날선 어떤 검보다도 예리하여 혼과 영과 및 관절과 골수를 찔러 쪼개기까지 하며 또 마음의 생각과 뜻을 판단하나니

레마의 말씀

DAY | . . 암송체크

365 **히브리서 4:13** □□□□□

지으신 것이 하나도 그 앞에 나타나지 않음이 없고 우리의 결산을 받으실 이의 눈앞에 만물이 벌거벗은 것같이 드러나느니라

366 **히브리서 4:15** □□□□□

우리에게 있는 대제사장은 우리의 연약함을 동정하지 못하실 이가 아니요 모든 일에 우리와 똑같이 시험을 받으신 이로되 죄는 없으시니라

367 **히브리서 4:16** □□□□□

그러므로 우리는 긍휼하심을 받고 때를 따라 돕는 은혜를 얻기 위하여 은혜의 보좌 앞에 담대히 나아갈 것이니라

레마의 말씀

DAY . . 암송체크

368 **히브리서 5:7** □□□□□

그는 육체에 계실 때에 자기를 죽음에서 능히 구원하실 이에게 심한 통곡과 눈물로 간구와 소원을 올렸고 그의 경건하심으로 말미암아 들으심을 얻었느니라

369 **히브리서 5:8-10** □□□□□

그가 아들이시면서도 받으신 고난으로 순종함을 배워서

온전하게 되셨은즉 자기에게 순종하는 모든 자에게 영원한 구원의 근원이 되시고

하나님께 멜기세덱의 반차를 따른 대제사장이라 칭하심을 받으셨느니라

레마의 말씀

DAY . . 암송체크

370 히브리서 6:19-20 □□□□□

우리가 이 소망을 가지고 있는 것은 영혼의 닻 같아서 튼튼하고 견고하여 휘장 안에 들어 가나니
그리로 앞서 가신 예수께서 멜기세덱의 반차를 따라 영원히 대제사장이 되어 우리를 위하여 들어가셨느니라

371 히브리서 10:19 □□□□□

그러므로 형제들아 우리가 예수의 피를 힘입어 성소에 들어갈 담력을 얻었나니

레마의 말씀

DAY | . .   암송체크

372 히브리서 10:20 □□□□□

그 길은 우리를 위하여 휘장 가운데로 열어 놓으신 새로운 살 길이요 휘장은 곧 그의 육체니라

373 히브리서 10:35 □□□□□

그러므로 너희 담대함을 버리지 말라 이것이 큰 상을 얻게 하느니라

374 히브리서 10:38 □□□□□

나의 의인은 믿음으로 말미암아 살리라 또한 뒤로 물러가면 내 마음이 그를 기뻐하지 아니하리라 하셨느니라

레마의 말씀

DAY . . 암송체크

375 히브리서 11:1-2 □□□□□

믿음은 바라는 것들의 실상이요 보이지 않는 것들의 증거니
선진들이 이로써 증거를 얻었느니라

376 히브리서 11:3 □□□□□

믿음으로 모든 세계가 하나님의 말씀으로 지어진 줄을 우리가 아나니 보이는 것은 나타난 것으로 말미암아 된 것이 아니니라

377 히브리서 11:6 □□□□□

믿음이 없이는 하나님을 기쁘시게 하지 못하나니 하나님께 나아가는 자는 반드시 그가 계신 것과 또한 그가 자기를 찾는 자들에게 상 주시는 이심을 믿어야 할지니라

레마의 말씀

DAY | . . 암송체크

378 **히브리서 12:1** □□□□□

이러므로 우리에게 구름같이 둘러싼 허다한 증인들이 있으니 모든 무거운 것과 얽매이기 쉬운 죄를 벗어 버리고 인내로써 우리 앞에 당한 경주를 하며

379 **히브리서 12:2** □□□□□

믿음의 주요 또 온전하게 하시는 이인 예수를 바라보자 그는 그 앞에 있는 기쁨을 위하여 십자가를 참으사 부끄러움을 개의치 아니하시더니 하나님 보좌 우편에 앉으셨느니라

레마의 말씀

380 **히브리서** 12:7 □□□□□

너희가 참음은 징계를 받기 위함이라 하나님이 아들과 같이 너희를 대우하시나니 어찌 아버지가 징계하지 않는 아들이 있으리요

381 **히브리서** 12:12-13 □□□□□

그러므로 피곤한 손과 연약한 무릎을 일으켜 세우고
너희 발을 위하여 곧은 길을 만들어 저는 다리로 하여금 어그러지지 않고 고침을 받게 하라

레마의 말씀

DAY . . 암송체크

382 **히브리서 12:14** □□□□□

모든 사람과 더불어 화평함과 거룩함을 따르라 이것이 없이는 아무도 주를 보지 못하리라

383 **히브리서 13:5** □□□□□

돈을 사랑하지 말고 있는 바를 족한 줄로 알라 그가 친히 말씀하시기를 내가 결코 너희를 버리지 아니하고 너희를 떠나지 아니하리라 하셨느니라

레마의 말씀

DAY | . . 암송체크

야고보서

384 야고보서 1:2-3 □□□□□

내 형제들아 너희가 여러 가지 시험을 당하거든 온전히 기쁘게 여기라
이는 너희 믿음의 시련이 인내를 만들어 내는 줄 너희가 앎이라

385 야고보서 1:4 □□□□□

인내를 온전히 이루라 이는 너희로 온전하고 구비하여 조금도 부족함이 없게 하려 함이라

레마의 말씀

386 **야고보서 1:5** □□□□□

너희 중에 누구든지 지혜가 부족하거든 모든 사람에게 후히 주시고 꾸짖지 아니하시는 하나님께 구하라 그리하면 주시리라

387 **야고보서 1:17** □□□□□

온갖 좋은 은사와 온전한 선물이 다 위로부터 빛들의 아버지께로부터 내려오나니 그는 변함도 없으시고 회전하는 그림자도 없으시니라

388 **야고보서 1:20** □□□□□

사람이 성내는 것이 하나님의 의를 이루지 못함이라

레마의 말씀

DAY | . .   암송체크

389 **야고보서** 1:25 □□□□□

자유롭게 하는 온전한 율법을 들여다보고 있는 자는 듣고 잊어버리는 자가 아니요 실천하는 자니 이 사람은 그 행하는 일에 복을 받으리라

390 **야고보서** 3:13 □□□□□

너희 중에 지혜와 총명이 있는 자가 누구냐 그는 선행으로 말미암아 지혜의 온유함으로 그 행함을 보일지니라

391 **야고보서** 5:13 □□□□□

너희 중에 고난 당하는 자가 있느냐 그는 기도할 것이요 즐거워하는 자가 있느냐 그는 찬송할지니라

레마의 말씀

DAY | . . 암송체크

392 **야고보서 5:14** □□□□□

너희 중에 병든 자가 있느냐 그는 교회의 장로들을 청할 것이요 그들은 주의 이름으로 기름을 바르며 그를 위하여 기도할지니라

393 **야고보서 5:15** □□□□□

믿음의 기도는 병든 자를 구원하리니 주께서 그를 일으키시리라 혹시 죄를 범하였을지라도 사하심을 받으리라

394 **야고보서 5:16** □□□□□

그러므로 너희 죄를 서로 고백하며 병이 낫기를 위하여 서로 기도하라 의인의 간구는 역사하는 힘이 큼이니라

레마의 말씀

베드로전서

395 베드로전서 1:5 □□□□□

너희는 말세에 나타내기로 예비하신 구원을 얻기 위하여 믿음으로 말미암아 하나님의 능력으로 보호하심을 받았느니라

396 베드로전서 1:6 □□□□□

그러므로 너희가 이제 여러 가지 시험으로 말미암아 잠깐 근심하게 되지 않을 수 없으나 오히려 크게 기뻐하는도다

레마의 말씀

DAY . . 암송체크

397 **베드로전서 1:7** □□□□□

너희 믿음의 확실함은 불로 연단하여도 없어질 금보다 더 귀하여 예수 그리스도께서 나타나실 때에 칭찬과 영광과 존귀를 얻게 할 것이니라

398 **베드로전서 1:8-9** □□□□□

예수를 너희가 보지 못하였으나 사랑하는도다 이제도 보지 못하나 믿고 말할 수 없는 영광스러운 즐거움으로 기뻐하니
믿음의 결국 곧 영혼의 구원을 받음이라

레마의 말씀

DAY | . . 암송체크

399 베드로전서 1:13 □□□□□

그러므로 너희 마음의 허리를 동이고 근신하여 예수 그리스도께서 나타나실 때에 너희에게 가져다 주실 은혜를 온전히 바랄지어다

400 베드로전서 1:15-16 □□□□□

오직 너희를 부르신 거룩한 이처럼 너희도 모든 행실에 거룩한 자가 되라

기록되었으되 내가 거룩하니 너희도 거룩할지어다 하셨느니라

레마의 말씀

401 베드로전서 1:18-19 □□□□□

너희가 알거니와 너희 조상이 물려 준 헛된 행실에서 대속함을 받은 것은 은이나 금같이 없어질 것으로 된 것이 아니요
오직 흠 없고 점 없는 어린 양 같은 그리스도의 보배로운 피로 된 것이니라

402 베드로전서 1:23 □□□□□

너희가 거듭난 것은 썩어질 씨로 된 것이 아니요 썩지 아니할 씨로 된 것이니 살아 있고 항상 있는 하나님의 말씀으로 되었느니라

레마의 말씀

403 **베드로전서 2:1-2** □□□□□

그러므로 모든 악독과 모든 기만과 외식과
시기와 모든 비방하는 말을 버리고
갓난아기들같이 순전하고 신령한 젖을 사
모하라 이는 그로 말미암아 너희로 구원에
이르도록 자라게 하려 함이라

404 **베드로전서 2:4-5** □□□□□

사람에게는 버린 바가 되었으나 하나님께
는 택하심을 입은 보배로운 산 돌이신 예수
께 나아가
너희도 산 돌같이 신령한 집으로 세워지고
예수 그리스도로 말미암아 하나님이 기쁘
게 받으실 신령한 제사를 드릴 거룩한 제사
장이 될지니라

레마의 말씀

405 **베드로전서 2:9** □□□□□

그러나 너희는 택하신 족속이요 왕 같은 제사장들이요 거룩한 나라요 그의 소유가 된 백성이니 이는 너희를 어두운 데서 불러내어 그의 기이한 빛에 들어가게 하신 이의 아름다운 덕을 선포하게 하려 하심이라

406 **베드로전서 2:20** □□□□□

죄가 있어 매를 맞고 참으면 무슨 칭찬이 있으리요 그러나 선을 행함으로 고난을 받고 참으면 이는 하나님 앞에 아름다우니라

407 **베드로전서 2:25** □□□□□

너희가 전에는 양과 같이 길을 잃었더니 이제는 너희 영혼의 목자와 감독 되신 이에게 돌아왔느니라

레마의 말씀

DAY | . . 암송체크

408 **베드로전서 3:15** □□□□□

너희 마음에 그리스도를 주로 삼아 거룩하게 하고 너희 속에 있는 소망에 관한 이유를 묻는 자에게는 대답할 것을 항상 준비하되 온유와 두려움으로 하고

409 **베드로전서 3:16** □□□□□

선한 양심을 가지라 이는 그리스도 안에 있는 너희의 선행을 욕하는 자들로 그 비방하는 일에 부끄러움을 당하게 하려 함이라

410 **베드로전서 3:17** □□□□□

선을 행함으로 고난 받는 것이 하나님의 뜻일진대 악을 행함으로 고난 받는 것보다 나으니라

레마의 말씀

DAY | . . 암송체크

411 **베드로전서 4:8** □□□□□

무엇보다도 뜨겁게 서로 사랑할지니 사랑은 허다한 죄를 덮느니라

412 **베드로전서 4:9** □□□□□

서로 대접하기를 원망 없이 하고

413 **베드로전서 4:10** □□□□□

각각 은사를 받은 대로 하나님의 여러 가지 은혜를 맡은 선한 청지기같이 서로 봉사하라

레마의 말씀

414 베드로전서 4:11 □□□□□

만일 누가 말하려면 하나님의 말씀을 하
는 것같이 하고 누가 봉사하려면 하나님이
공급하시는 힘으로 하는 것같이 하라 이
는 범사에 예수 그리스도로 말미암아 하나
님이 영광을 받으시게 하려 함이니 그에게
영광과 권능이 세세에 무궁하도록 있느니
라 아멘

415 베드로전서 5:8 □□□□□

근신하라 깨어라 너희 대적 마귀가 우는 사
자같이 두루 다니며 삼킬 자를 찾나니

레마의 말씀

베드로후서

416 베드로후서 3:18 □□□□□

오직 우리 주 곧 구주 예수 그리스도의 은혜와 그를 아는 지식에서 자라 가라 영광이 이제와 영원한 날까지 그에게 있을지어다

요한1서

417 요한1서 1:1 □□□□□

태초부터 있는 생명의 말씀에 관하여는 우리가 들은 바요 눈으로 본 바요 자세히 보고 우리의 손으로 만진 바라

레마의 말씀

418 **요한1서 1:2** □□□□□

이 생명이 나타내신 바 된지라 이 영원한 생명을 우리가 보았고 증언하여 너희에게 전하노니 이는 아버지와 함께 계시다가 우리에게 나타내신 바 된 이시니라

419 **요한1서 1:5** □□□□□

우리가 그에게서 듣고 너희에게 전하는 소식은 이것이니 곧 하나님은 빛이시라 그에게는 어둠이 조금도 없으시다는 것이니라

420 **요한1서 1:9** □□□□□

만일 우리가 우리 죄를 자백하면 그는 미쁘시고 의로우사 우리 죄를 사하시며 우리를 모든 불의에서 깨끗하게 하실 것이요

레마의 말씀

DAY | . . 암송체크

421 요한1서 1:10 □□□□□

만일 우리가 범죄하지 아니하였다 하면 하나님을 거짓말하는 이로 만드는 것이니 또한 그의 말씀이 우리 속에 있지 아니하니라

422 요한1서 2:15 □□□□□

이 세상이나 세상에 있는 것들을 사랑하지 말라 누구든지 세상을 사랑하면 아버지의 사랑이 그 안에 있지 아니하니

423 요한1서 2:16 □□□□□

이는 세상에 있는 모든 것이 육신의 정욕과 안목의 정욕과 이생의 자랑이니 다 아버지께로부터 온 것이 아니요 세상으로부터 온 것이라

레마의 말씀

DAY | . . 암송체크

424 **요한1서 2:25** □□□□□

그가 우리에게 약속하신 것은 이것이니 곧 영원한 생명이니라

425 **요한1서 3:3** □□□□□

주를 향하여 이 소망을 가진 자마다 그의 깨끗하심과 같이 자기를 깨끗하게 하느니라

426 **요한1서 3:8** □□□□□

죄를 짓는 자는 마귀에게 속하나니 마귀는 처음부터 범죄함이라 하나님의 아들이 나타나신 것은 마귀의 일을 멸하려 하심이라

427 **요한1서 3:18** □□□□□

자녀들아 우리가 말과 혀로만 사랑하지 말고 행함과 진실함으로 하자

레마의 말씀

DAY | . . | 암송체크

428 요한1서 4:4 □□□□□

자녀들아 너희는 하나님께 속하였고 또 그들을 이기었나니 이는 너희 안에 계신 이가 세상에 있는 자보다 크심이라

429 요한1서 4:7 □□□□□

사랑하는 자들아 우리가 서로 사랑하자 사랑은 하나님께 속한 것이니 사랑하는 자마다 하나님으로부터 나서 하나님을 알고

430 요한1서 4:8 □□□□□

사랑하지 아니하는 자는 하나님을 알지 못하나니 이는 하나님은 사랑이심이라

레마의 말씀

431 요한1서 4:10 □□□□□

사랑은 여기 있으니 우리가 하나님을 사랑한 것이 아니요 하나님이 우리를 사랑하사 우리 죄를 속하기 위하여 화목 제물로 그 아들을 보내셨음이라

432 요한1서 4:18 □□□□□

사랑 안에 두려움이 없고 온전한 사랑이 두려움을 내쫓나니 두려움에는 형벌이 있음이라 두려워하는 자는 사랑 안에서 온전히 이루지 못하였느니라

433 요한1서 5:4 □□□□□

무릇 하나님께로부터 난 자마다 세상을 이기느니라 세상을 이기는 승리는 이것이니 우리의 믿음이니라

레마의 말씀

434 요한1서 5:14 □□□□□

그를 향하여 우리가 가진 바 담대함이 이것이니 그의 뜻대로 무엇을 구하면 들으심이라

435 요한1서 5:15 □□□□□

우리가 무엇이든지 구하는 바를 들으시는 줄을 안즉 우리가 그에게 구한 그것을 얻은 줄을 또한 아느니라

436 요한1서 5:18 □□□□□

하나님께로부터 난 자는 다 범죄하지 아니하는 줄을 우리가 아노라 하나님께로부터 나신 자가 그를 지키시매 악한 자가 그를 만지지도 못하느니라

레마의 말씀

요한3서

437 **요한3서 1:2** □□□□□

사랑하는 자여 네 영혼이 잘됨같이 네가 범사에 잘되고 강건하기를 내가 간구하노라

유다서

438 **유다서 1:20-21** □□□□□

사랑하는 자들아 너희는 너희의 지극히 거룩한 믿음 위에 자신을 세우며 성령으로 기도하며

하나님의 사랑 안에서 자신을 지키며 영생에 이르도록 우리 주 예수 그리스도의 긍휼을 기다리라

레마의 말씀

요한계시록

요한계시록

439 요한계시록 1:3 □□□□□

이 예언의 말씀을 읽는 자와 듣는 자와 그 가운데에 기록한 것을 지키는 자는 복이 있나니 때가 가까움이라

440 요한계시록 1:7 □□□□□

볼지어다 그가 구름을 타고 오시리라 각 사람의 눈이 그를 보겠고 그를 찌른 자들도 볼 것이요 땅에 있는 모든 족속이 그로 말미암아 애곡하리니 그러하리라 아멘

레마의 말씀

441 **요한계시록 1:8** □□□□□

주 하나님이 이르시되 나는 알파와 오메가라 이제도 있고 전에도 있었고 장차 올 자요 전능한 자라 하시더라

442 **요한계시록 3:6** □□□□□

귀 있는 자는 성령이 교회들에게 하시는 말씀을 들을지어다

443 **요한계시록 3:18** □□□□□

내가 너를 권하노니 내게서 불로 연단한 금을 사서 부요하게 하고 흰 옷을 사서 입어 벌거벗은 수치를 보이지 않게 하고 안약을 사서 눈에 발라 보게 하라

레마의 말씀

444 요한계시록 3:19 □□□□□

무릇 내가 사랑하는 자를 책망하여 징계하노니 그러므로 네가 열심을 내라 회개하라

445 요한계시록 3:20 □□□□□

볼지어다 내가 문 밖에 서서 두드리노니 누구든지 내 음성을 듣고 문을 열면 내가 그에게로 들어가 그와 더불어 먹고 그는 나와 더불어 먹으리라

446 요한계시록 21:1 □□□□□

또 내가 새 하늘과 새 땅을 보니 처음 하늘과 처음 땅이 없어졌고 바다도 다시 있지 않더라

레마의 말씀

447 **요한계시록 21:2** □□□□□

또 내가 보매 거룩한 성 새 예루살렘이 하나님께로부터 하늘에서 내려오니 그 준비한 것이 신부가 남편을 위하여 단장한 것 같더라

448 **요한계시록 21:3** □□□□□

내가 들으니 보좌에서 큰 음성이 나서 이르되 보라 하나님의 장막이 사람들과 함께 있으매 하나님이 그들과 함께 계시리니 그들은 하나님의 백성이 되고 하나님은 친히 그들과 함께 계셔서

레마의 말씀

DAY | . . 암송체크

449 **요한계시록 21:4** □□□□□

모든 눈물을 그 눈에서 닦아 주시니 다시는 사망이 없고 애통하는 것이나 곡하는 것이나 아픈 것이 다시 있지 아니하리니 처음 것들이 다 지나갔음이러라

450 **요한계시록 21:5** □□□□□

보좌에 앉으신 이가 이르시되 보라 내가 만물을 새롭게 하노라 하시고 또 이르시되 이 말은 신실하고 참되니 기록하라 하시고

451 **요한계시록 22:7** □□□□□

보라 내가 속히 오리니 이 두루마리의 예언의 말씀을 지키는 자는 복이 있으리라 하더라

레마의 말씀

452 **요한계시록 22:12** □□□□□

보라 내가 속히 오리니 내가 줄 상이 내게 있어 각 사람에게 그가 행한 대로 갚아 주리라

453 **요한계시록 22:13** □□□□□

나는 알파와 오메가요 처음과 마지막이요 시작과 마침이라

454 **요한계시록 22:20** □□□□□

이것들을 증언하신 이가 이르시되 내가 진실로 속히 오리라 하시거늘 아멘 주 예수여 오시옵소서

레마의 말씀